ファンクショナル
ローラーピラティス

第2版

フォームローラーでできる
104のエクササイズ

中村尚人［著］

FUNCTIONAL
ROLLER PILATES

注意：すべての学問と同様，医学も絶え間なく進歩しています。研究や臨床的経験によって我々の知識が広がるにしたがい，方法などについて修正が必要となる場合もあります。このことは，本書で扱われているテーマについても同様です。

本書では，発刊された時点での知識水準に対応するよう，著者や出版社はできるかぎり注意をはらいました。しかし，過誤および医学上の変更の可能性を考え，著者，出版社，および本書の出版にかかわったすべてのものが，本書の情報がすべての面で正確，あるいは完全であることを保証できませんし，本書の情報を使用したいかなる結果，過誤および遺漏の責任についても負うことができません。本書を利用する方は，注意深く読み，場合によっては専門家の指導によって，ここで書かれていることがらが逸脱していないかどうか注意してください。本書を読まれた方が何か不確かさや誤りに気づかれた場合，ぜひ出版社に連絡をくださるようお願いいたします。

改訂にあたって

初版の出版から6年が経ちました。ファンクショナルローラーピラティス®(functional roller pilates：FRP) は運動指導者のみならず理学療法士などのリハビリテーションの専門家に受け入れられ，全国で800名を超す認定インストラクターが活動しています。毎年カンファレンスを開催し，エクササイズのマイナーチェンジや新しいエクササイズの開発を行っています。

この6年の間で，初期よりも変更した方が良い点というものがいくつか出てきました。改訂版では，その点を修正して，新たに写真を撮り直しました。また，いくつか新しいバリエーションも追加されています。

主な変更点は以下の事になります。

- 手を持ち上げる時は，肩の高さよりも視線の高さに持ち上げる方が，前鋸筋の活性化に有利である。
- 背臥位の姿勢では，顎を引かないように注意する。
- 視線を下げると体が下がってしまうため，可能な限り視線は下げないようにする。
- 側臥位において，足をクロスして一直線の状態で体幹をねじる場合には，下の足を前に出す。

FRPのコンセプトや方向性に変更は全くありません。歩きに必要な機能こそが，ヒトの本来持っているべき機能です。ピラティスの考案者であるJoseph Pilates氏の千里眼的な原理原則に，医学の観点を追加し昇華させたプログラムがFRPです。FRPの実践によって，障害予防，健康増進が図れます。もちろん，リハビリテーションの運動指導の手札の1つにもなります。

運動指導者がFRPによって多くの方々を笑顔に導き，ならなくてもよい障害や病気を予防して，健康で生き生きとした社会になることを心から祈っております。

改訂にあたってご協力頂いたモデルの皐月幹太さん，井上沙也加さん，ありがとうございました。

2022年9月

中村　尚人

読者の皆さんへ

ファンクショナルローラーピラティス® (functional roller pilates：FRP) は，フォームローラーを使って気軽に行える，しかも効果的なピラティスです。本書では，その豊富なエクササイズを余すところなくご紹介します。運動強度ごとにエクササイズをカテゴライズし，写真や解説をつけることで，ピラティスの愛好者にとっては実践しやすく，またピラティスをはじめとしたエクササイズの指導者には明日からの指導でのヒントになるように，見やすさとわかりやすさを心がけてまとめました。

FRP は，ピラティスの要素と，医学分野の運動療法の要素を併せ持ち，ヒトの最も基本的かつ普遍的運動である「歩き」を変えることを最終目的としています。歩くという能力は，あらゆるスポーツの基礎であり，また日常生活を快適に過ごし，障害を予防する側面からもとても大切です。私たちヒトの骨格や運動機能は「歩き」に適応して進化してきたといっても過言ではありません。FRP のエクササイズを実践することで，進化の中で培ってきた最適な体の動かし方を身につけられます。

本書で紹介するエクササイズは，原則として健常者を想定して作成しています。障害を有する方や高齢の方が行う場合には，エクササイズの修正が必要になります。そのような場合は，必ず医師や理学療法士のような身体の専門家の助言を受けるようにして下さい。やみくもにエクササイズを行うのではなく，身体上の問題点を明確化し，目的と方向性を持ってエクササイズを実施することを強くお勧めします。また FRP では，エクササイズレベルごとに認定インストラクター制度を採用しています。全国にいる認定インストラクターは，各エクササイズを正確に指導することができます。FRP エクササイズについて直接指導を受けたい，あるいはエクササイズの実施方法についてより詳細に習いたいという場合には，FRP のホームページ http://frpilates.com を参照してください。

本書では，運動強度や転倒などのリスクを考慮して，エクササイズを「ベーシック」，「ミドル」，「アドバンス」の 3 段階にレベル分けしてあります。参考にされる時には，そのレベルを考慮してください。また，「セルフストレッチとマッサージ」の項目は，痛すぎたりきつすぎたりしないように注意して，気持ちのよい感覚を持ちながら行ってください。何事もやりすぎは禁物です。

皆様の健康に寄与できるよう，これからも有益なエクササイズの開発とその普及に邁進してまいります。FRP の今後の活動にご期待下さい。

2016 年 2 月

中村　尚人

目　次

I. はじめる前に

II. 準　備

III. ベーシックエクササイズ

IV. ミドルレベルエクササイズ

V. アドバンスエクササイズ

VI. セルフストレッチとマッサージ

●コラム

I

はじめる前に

1 ファンクショナルローラーピラティスとは

ピラティスには，マットで行うエクササイズと，キャデラックやリフォーマーなどのイクイップメント（ピラティスのために開発された専門の器具）を使うエクササイズがある。ピラティスは本来，イクイップメントを使い，個人の状態に合ったオーダーメイドのエクササイズを提供するものであり，マットで行うピラティスは，身体を正確にコントロールできる上級者向けのエクササイズである。

ファンクショナルローラーピラティス®(functional roller pilates, 以下 FRP）は，フォームローラーを使用してマット上で行うエクササイズである。フォームローラーを使うことにより，イクイップメントのような適度の抵抗と補助（サポート）を得ながら，マットの上で手軽に行うことができる。そのため，初心者でも比較的簡単に行うことができる。

また，エクササイズの開発にあたっては，ピラティスの原理原則を医学的視点から取り入れた。さらに，日常の歩行などの動作の機能を向上させるため，立位エクササイズが多いのも特徴である。そのため，理学療法士などの医療者に支持され，臨床でも取り入れられている。

以下に，FRP のその他の特徴を挙げる。

FRP の特徴

- フォームローラーの不安定な支持面の上で行うため，コアの制御・正中化などを体感しやすい。
- フォームローラーの補助により，機能的な動作へと導くことができる。
- フォームローラーの適度な抵抗により，個人のレベルに合った負荷を得ることができる。
- バリエーションが多いので，若年者から高齢者まで，また初心者から上級者まで，幅広い年齢層・レベルの対象者に合わせることができる。

2 フォームローラーを使用する利点

フォームローラー〔foam（泡状の）roller（円筒形の回転物）〕は，トレーナーや理学療法士が筋膜をリリースするために使う道具として発展してきた。主に筋肉のリラクゼーションを目的とした用い方が一般的であるが，現在では様々なトレーニングのサポートツールとして使用されている。

以下に，フォームローラーを用いる主な利点を列挙する。

フォームローラーを用いる利点

- 不安定な形状であるため，その上でエクササイズを行うことにより，体幹の安定性やバランス能力を促すことができる。
- フォームローラーの形状により，感覚フィードバックが得られ，体への気付きを促すことができる。
- フォームローラーという道具を用いることで，操作という課題が増え，集中力が増す。
- フォームローラーがあることでエクササイズの正確さが増す。
- フォームローラーを使用することにより，エクササイズのバリエーションが増す。
- フォームローラーを運動時の抵抗としても補助としても用いることができる。

フォームローラーの素材は，硬すぎず柔らかすぎないものが適している。硬すぎると，背臥位（仰向け）になった時に背骨の突出部が当たり痛みを伴うことがある。また柔らかすぎると，フォームローラーが変形し，必要な不安定性が得られないことがある。

著者は，専用のフォームローラー「GRIPPONE(グリッポン)」と専用スタンド「グリッポンベース」（左の写真）を有限会社ヨガワークスと共同開発し，推奨している。詳細は下記のホームページを参照のこと。

ヨガワークス：https://www.yogaworks.co.jp/

3 リスクマネージメント

エクササイズを行ううえで考えられるリスクと，その予防法について解説する。道具を使用しエクササイズを行うにあたって，間違った使い方をすれば，身体に害を及ぼす可能性があることも念頭におかなくてはならない。また，運動指導者がFRPを指導する場合には，エクササイズを行う対象者に，リスクに関して時前に説明し，情報を共有しておく必要がある。さらに運動指導者は，対象者のリスクが高いか低いかということを，客観的に見極められることが望ましい。そのためには，対象者の身体についての情報と，エクササイズの適応・不適応を把握しておく必要がある。

リスク１：血圧の上昇（怒責）

予防法：呼吸を止めないようにする。

呼吸を止めると腹圧が上がり，腹大動脈を圧迫して血圧が上昇する。高血圧のある人では特に注意が必要である。呼吸を止めるのは，体が硬直してストレスから守ろうとする防御反応なので，キャパシティを超えた運動をしている可能性がある。そのサインに気付き，早めにリラックスを促す必要がある。

キャパシティを超えているサイン：険しい表情，肩肘が張る，首がすくむ，浅い呼吸

キャパシティを超えていないサイン：笑顔，肩肘の緩み，首を伸ばす，自然呼吸

リスク２：筋損傷（オーバーストレッチ）

予防法：気持ちがよいと感じる程度の伸張感に抑え，伸ばしすぎないようにする。

筋肉をストレッチしすぎると，筋肉が逆に緊張してしまい，喧嘩のような状態になる。そのまま刺激を加え続けると，筋肉が損傷し，いわゆる肉離れを生じる可能性がある。気持ちがよいと感じる程度の伸張感に抑え，伸ばしすぎないように注意が必要である。

リスク３：過負荷（オーバーワーク）

予防法：適度な負荷になるよう，運動負荷は徐々に上げる。

対象者の能力を超えた運動負荷は，体に損傷を与える可能性がある。例えば，背臥位で両足を上げて行うエクササイズは，下半身の重量をすべて腰部で支えることになり，かなりの負荷が腰椎や椎間板にかかる。修正方法としては膝を曲げることなどがあるが，そもそも負荷が対象者にとって適切かどうかという見極めが重要である。エクササイズの負荷は，対象者の身体レベルを確認してから徐々に上げるようにする必要がある。

リスク 4：転倒

予防法：事前に安全を確保する。

フォームローラー上に立つエクササイズを初心者が行う場合は，安定性を確保する必要がある。グリッポンベース（図 1-1）を使用するのが一番よいが，ない場合には，手すりや壁のような体を支えられるものがある環境で行う。転倒してしまっては，まさに本末転倒である。特に高齢者の場合は，円柱状のものより安定性が高いかまぼこ状のフォームローラー（図 1-2）を使用する方が適切だろう。バランスのエクササイズはレベルが高いものなので，対象者の身体レベルに合ったエクササイズを選択することが重要である。滑り止めを敷く，壁にフォームローラーを押し付けて安定させるなどの修正も，臨機応変に行うとよいだろう。

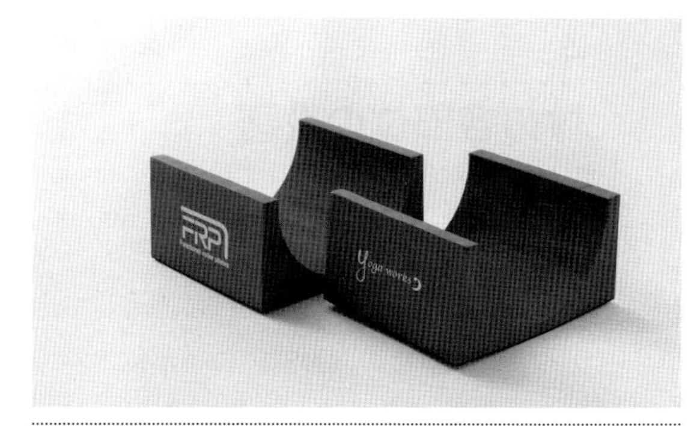

図 1-1　グリッポンベース。この上にフォームローラーを置いて使用すれば転がらない。

図 1-2　かまぼこ状のフォームローラー（右）と通常の円柱状のフォームローラー（中央）

4 体の各部位の役割

ヒトは「歩く」という動作に適応して進化してきた。そのため，体の各部位は歩く動作に対してそれぞれの役割を担っている。以下にそれぞれの役割を大まかに解説する。この役割分担を把握したうえでエクササイズを行うことで，エクササイズの目的とターゲットの機能が理解できる。

FRP のエクササイズは，闇雲に筋肉を疲れさせたり，単に特定の筋肉のパワーを増強させたりするものではなく，運動機能の改善と向上を目指している。エクササイズの最終的なゴールは，快適で疲れない，効率的な動きの獲得である。つまり，疲れずに，また痛みを生じさせることなく歩き続けられる，機能的な歩行動作といえる。

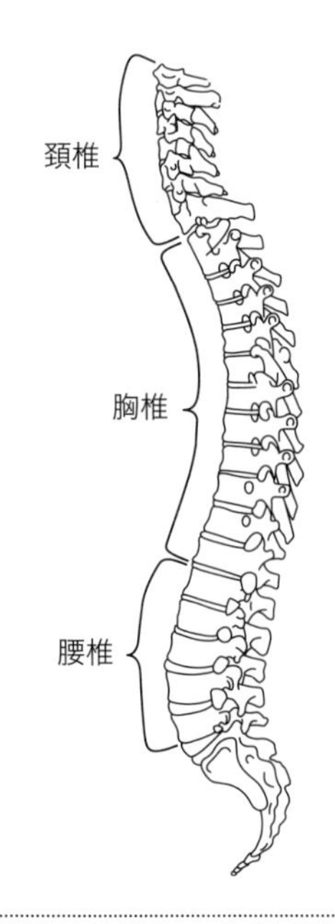

図 1-3　脊柱の S 字カーブ（生理的弯曲）

4.1　正中をつくる頭部，脊柱，骨盤

体の中心をつくっているのは，頭部，脊柱，骨盤という体の中心に位置する骨格である。この正中が重力に負けない強さをつくっている。

理想的な位置関係（アライメント）は，正面（前額面）から観察した場合に，左右にズレがなく，重力線と同じように垂直に位置している状態である。側面（矢状面）から観察した場合には，頭部，肋骨，骨盤が一直線上に連なり，脊柱は S 字カーブ(生理的弯曲）を描いていることが理想的である。生理的弯曲は，第 4 胸椎，第 12 胸椎をトランジショナルポイント（中継点）として，上から前弯，後弯，前弯となる（図 1-3）。一般的にいうと，外耳，肩峰，大転子，膝中央，外果の 1 インチ（約 2.5 cm）前方が一直線というのが理想的である。

この役割が破綻すると，重力に弱くなり，左右差から関節に偏った負担がかかり，関節の障害を惹起する。

FRP のエクササイズでは，この中心にある部位が一直線上にあることを「ニュートラル」といい，ニュートラルの獲得を目指す。

動きのコツ：「エロンゲーション」という，体の抗重力の意識が重要である。具体的には，頭頂を天に向かって伸ばす意識である。

4.2 上半身の動きを起こす胸椎

物を手にとったり，辺りを見回すため視線を移動させたりする時に，動きの中心として最も重要なのが，胸椎である。手については肩，視線については首が動きをつくっているように思えるが，それらは動きの中継点であって，動きの中心は体の中心にある。なぜなら，動きの支点を中心に持ってくることが，てこを最も長くする方法だからである。

筋肉から考えても，手は肩甲骨を介して肋骨から出ているし，首が動く時に胸椎を伴う動きと頚椎のみの動きでは，動ける範囲が全く異なる。つまり，胸椎から動くと，中心の小さな動きが長いてこで拡張され，末梢では大きな動きに変換されるのである。

この役割が破綻すると，中継点である肩関節，頚椎を痛めることにつながる。

FRP エクサイズでは，胸椎を中心とした上半身の動きを獲得することを目指す。

動きのコツ：手を長く使うこと。遠くを通るような手の動きは，胸椎の動きを促す。

4.3 安定した腰椎

腰椎は骨盤とつながっており，骨盤は股関節とつながっている。一般的に骨盤が動くということは，腰椎と股関節が動くことを指す。下半身は，歩く時に床からの反力と上半身の重力の板挟みになるところで，衝撃を吸収する役割がある。そのため，腰椎は頚椎，胸椎に比べて大きく，椎間関節も安定性が高いのが特徴である。股関節も，自由度はあるが，臼蓋は比較的大きく安定している。また，骨盤は衝撃を腰椎に逃しやすいように，類人猿などに比べると横に広く，縦に短くなっている。

腰椎は構造的に安定しているといっても，骨だけでは強いストレスに耐えられないため，強靭な靭帯や筋肉によってサポートされている。

FRP エクササイズでは，骨盤を動かしつつも，筋肉を用いて安定性を確保する機能の獲得を目指す。腹部を中心とした体幹を，固めるのではなく，安定性を高めることで強くする。

動きのコツ：下腹部を上に持ち上げるように意識して胸式呼吸をする。遠くを見るような意識を持つことで，体幹を活性化する。

4.4 バランサーとしての股関節

股関節は丸い形状の関節（球関節）で，非常に広い可動域を有する。大腿骨の骨頭はボール状であるため，骨盤は丸い不安定なボールの上に乗っているといえる。静止立位時の身体重心は骨盤内（第２仙骨前面）にある。体の中心にある股関節が，なぜこのような不安定な形状をしているのだろうか。それは，歩く時の重心移動に有利だからである。不安定だからこそ，玉乗りのようにボールの上で転がることで，重力を有効に使える。逆に，転倒しそうになった時にも，効率的にバランスをとることができる。ビルの耐震と同じように，硬いものほど倒れやすい。自由度があるということは，バランスとしては効率的なのである。

この役割が破綻すると，膝や足など下半身の他の部位へのストレスが増加し，関節機能が崩壊する。これだけ大きな自由度を有する股関節機能の破綻の代償は大きくつくといえる。

FRP エクササイズでは，股関節の柔軟性とバランス能力の獲得を目指す。

動きのコツ:股関節のボールをイメージし，固めないように柔らかく使うこと。

4.5　柔らかく強い足

「歩き」の中で，足は唯一床と接し，床と体のつなぎ役として，力を伝える時には硬く，力を分散させる時には柔らかく，変幻自在に変化する。そのため，足は片側だけで26個という多くの骨からなっており，関節の塊ともいえる。足の重要な機構として，足のアーチ構造と距骨下関節の外がえし・内がえしの運動がある。これらの機構が対応することで，前述の硬さと柔らかさが可能になっている。

この役割が破綻すると，運動効率が低下し，体の基盤のズレとして全身のズレを引き起こす。

FRP エクササイズでは，変幻自在な足と機能的な足部アーチと距骨下関節の動きの獲得を目指す。

動きのコツ：立っている時は，くるぶしのやや前に重心を置く。基本的には足（距骨下関節）の内がえしを意識する。つま先立ちの場合は，踵を引き上げ，体全体を上に引き上げる感覚と，同じように足裏を引き上げる感覚を持つ。

II

準　備

準備 1
基本姿勢の確認

1.1 基本姿勢

ファンクショナルローラーピラティス® (FRP) のエクササイズを行ううえで基本となるのは，重力に負けないよい姿勢である。この姿勢によって，意識を向けるべき体の部位や力の方向性などを習得できる。また，どのような肢位になっても，この基本姿勢での感覚は共通するものであり，常に意識されるべきである。習得することによって，この姿勢は当たり前のものとなり，頑張らなくても自然にできるようになる。体にとって最も楽な，効率的で自然な姿勢である。

ローラーを使った基本姿勢の確認

1. マットの上に膝立ちになる。
2. 顎を引きすぎないよう，ていねいに首の前後を伸ばし，両手に持ったローラーを頭頂に乗せ，腕の重さをかける。こうすることで，脊柱の伸長が促される。
3. 肘を斜め前に押し出す。こうすることによって背中が広がり，肩甲骨は自然に下制し，首が長く保たれる。
4. みぞおちを引き上げる。こうすることで，連動して下腹部が引き上がる。
5. 足部にはできるだけ体重をかけないようにし，膝だけでバランスをとるようにする。こうすることで，鼡径部が引きこまれ，下半身の良姿勢がつくられる。

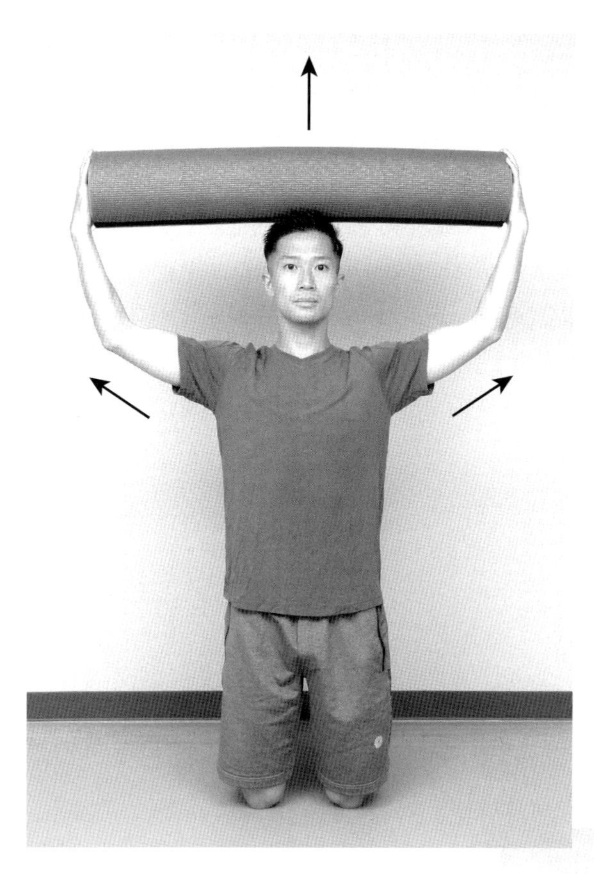

基本姿勢のポイント

- 首を長くする。
- 背中を広くする。
- 肘を斜め前に押し出す。
- みぞおちを引き上げる。
- 顎は引きすぎに注意し，首の前に皺をつくらないようにする。

1.2 立位姿勢

立位姿勢のポイント

- 立位姿勢は，脊柱の生理的彎曲のある状態を目標とする。
- 上肢は，手が大腿の前方に位置するのが本来の位置である。学童期に，手を大腿の横に位置させるよう指導されることが多いため，クライアントの思い込みに注意を要する。
- 理想的な頭部の位置は，遠くを見る位置，顔を動かさなくても目を動かすだけで自然に空を見ることができる位置である。顎を引くと，視野が狭くなるので，確認が可能である。理想的な頭部の位置はまた，顎関節がリラックスするポジションでもある。顎は，食事の時以外は噛みしめるべきではない。

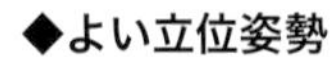

◆よい立位姿勢

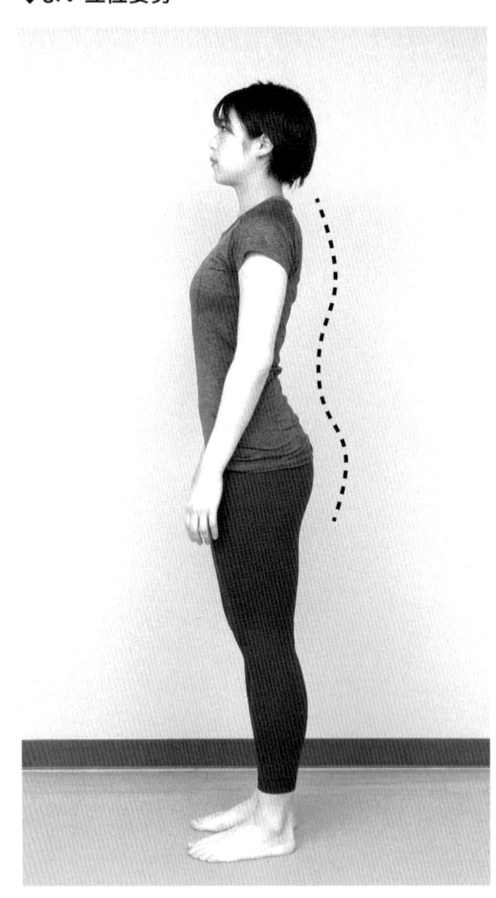

注意が必要な立位姿勢

◆骨盤過前傾

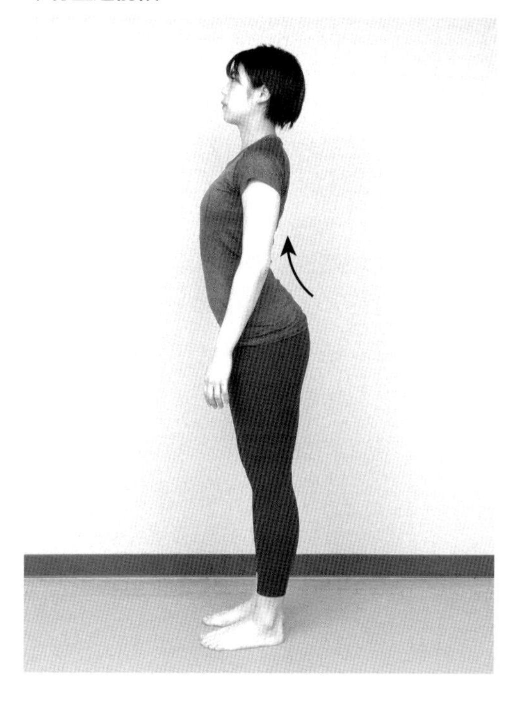

◆骨盤過後傾

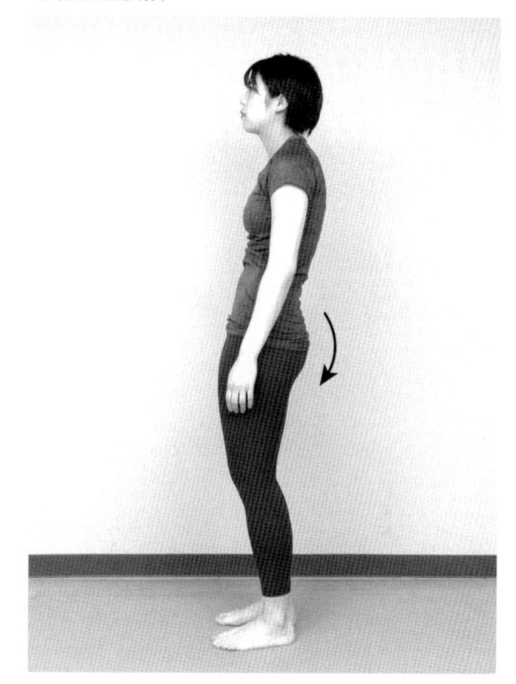

◆脊柱の生理的弯曲の減少

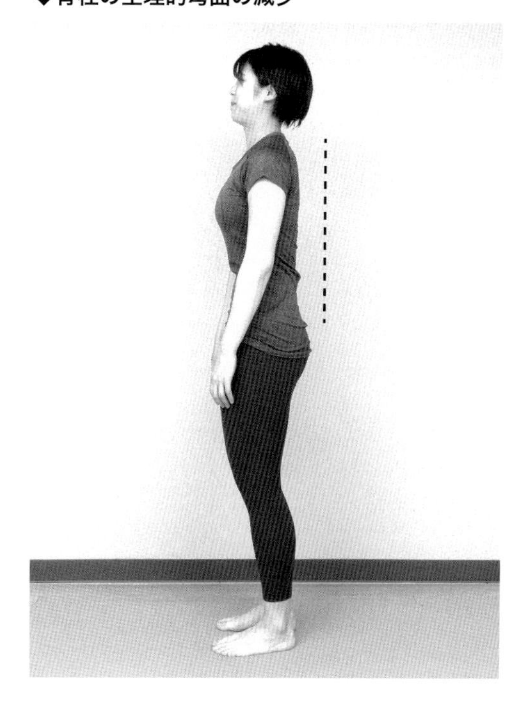

- **骨盤過前傾**

  腰椎の前弯が増強した状態。肋骨下部が開き，腹部筋群の弱化が起こりやすい。

- **骨盤過後傾**

  腰椎の前弯が減少した状態。股関節は伸展し，代償として頭部が前方位となりやすい。

- **脊柱の生理的弯曲の減少**

  いわゆるフラットバック。胸椎の後弯が減少し，頚椎と腰椎の前弯が減少している。

準備 2

ローラー上の姿勢の確認

2.1　座　位

よい座位姿勢のつくり方

1. 坐骨の少し前にローラーのピーク（頂点）が来るように座る。
2. 背すじを伸ばし，脊柱の生理的彎曲を意識する。
3. 足は安定する快適な肢位をとる。

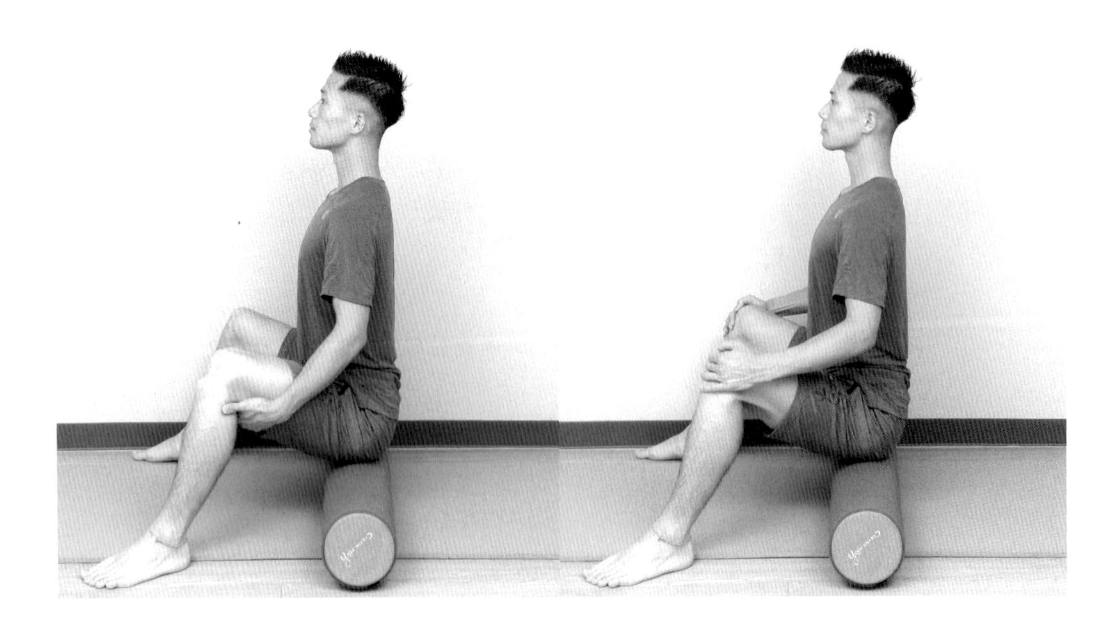

足を置く位置

足を置く位置は何種類かある。安定し，快適な位置を選択するとよい。

◆足を開き膝を曲げる

◆足の裏を合わせて膝を開く

◆左右の足をクロスして足の外側を床につく

◆膝を深く曲げ，踵を恥骨に近づけ，脛を床につける

2.2 背臥位

ローラーへの乗り方

❶ローラーのエッジ（端）に座る。
❷手を後ろにつく。
❸肘をつく。
❹ローラーの上に背臥位になる。

ローラーからの下り方

❶ローラーの上で背臥位の状態。
❷横から床の上に下りる。
❸❹手で支えて上体を起こす。

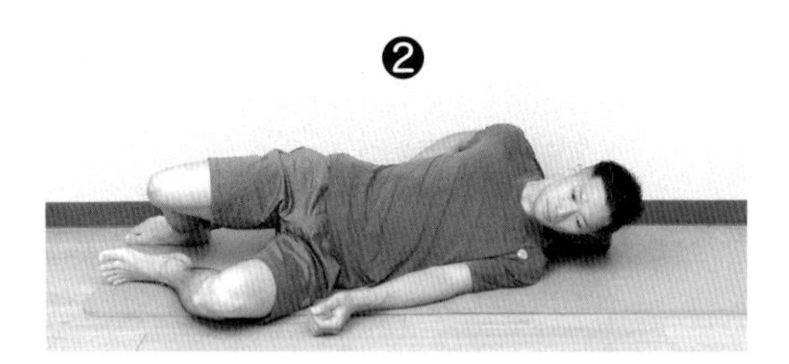

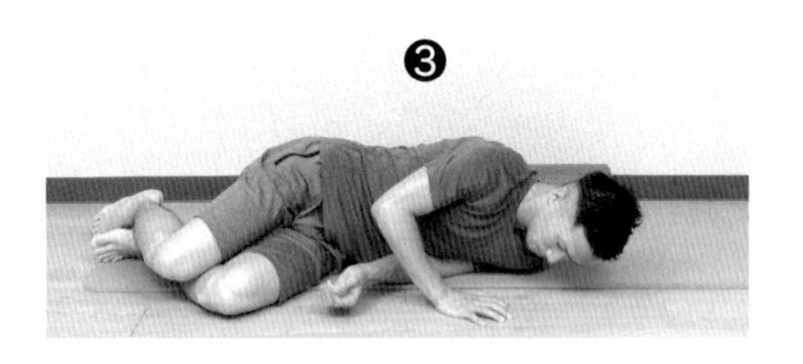

よい背臥位姿勢のつくり方

❶ローラーの上に背臥位になり，やや斜め上を見て首を伸ばす。

❷肘を緩めて，両腕を視線の先に指が来る位置に突き出す。こうすることによって，肩甲骨が重力に負けずに持ち上がり，前鋸筋と外腹斜筋が働くことで，胸郭が安定する。

❸胸郭の安定性を高めたまま両手を床に下ろす。

❶

❷

❸

悪い例

× 肩甲骨が重力に負けて床方向に落ちている

× 肩甲骨が挙上して肩と首の間がつまっている

× 顎を引きすぎている

2.3 立 位

立位のポイント

- 初心者がローラーに乗る場合には，安全のためにグリッポンベースを使用する。あるいは，壁など支えになるものがある場所で行う。
- 基本的には，ローラーのピークが土踏まずにあたるように立つが，目的によってはくるぶしの下や前足部などにあたるように，位置を変えることもある。
- ローラーを縦に置き，継ぎ足のポジションで乗ることもある。

準備 3

その他の確認事項

3.1 ローラー上の手の位置

横にしたローラーに手をつく場合のポイント

- 手は，人差し指が正面を向くように置く。
- 手首の真下にローラーを位置させる。
- 手首が反りすぎないように注意する。

◆手首の付け根がローラーのピークにくるように手を置く

× 悪い例：ローラーを自分の方に引きすぎて手首の反りが過剰になっている

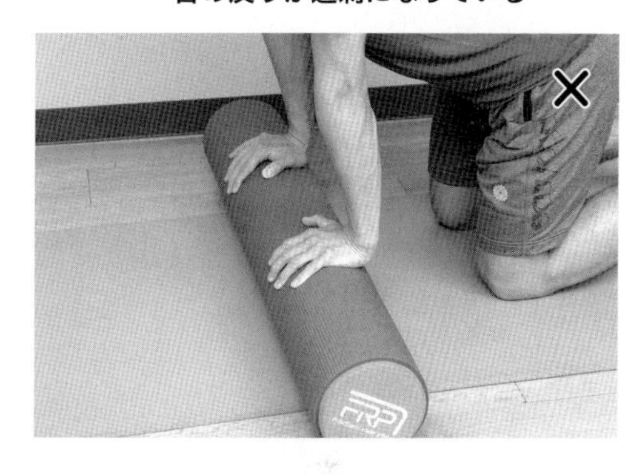

◆人差し指を正面に向けることで，手首の反りが自然になる（背屈＋橈屈）

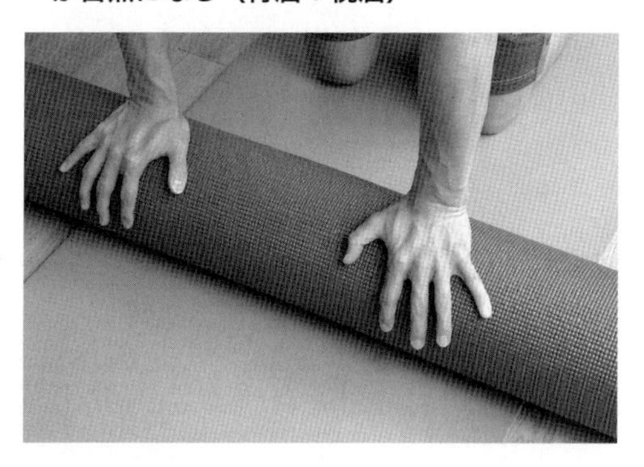

× 悪い例：中指が正面を向くと，手首の反りが窮屈になる

縦にしたローラーに手をつく場合のポイント

自然な手首の反りをつくるために，親指を正面に向ける。ただし，親指の可動域制限がある場合はその限りではない。

◆親指を正面に向ける

× 悪い例：親指が外を向くと，手が滑りローラーから落ちかねない

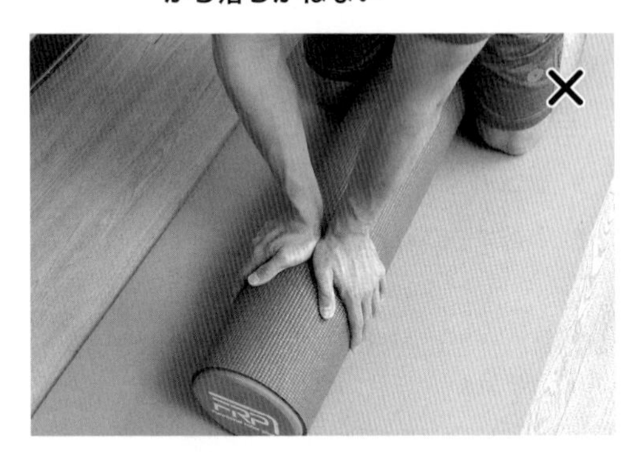

3.2 肘関節

肘関節の伸展

- 肘関節の正常な伸展は0°までであり，それ以上に伸展していることを過伸展という。
- 過伸展は，体重のかかる方向と床反力の方向が一致しない。
- また，筋肉で制御している状態ではなく，関節をロックしているため，バランスを必要とする場面で靱帯や骨に非生理的なストレスがかかる。
- 肘関節は軽く緩みがある位置で使い，筋肉による制御を行うように注意が必要である。

◆正常な伸展

× 過伸展

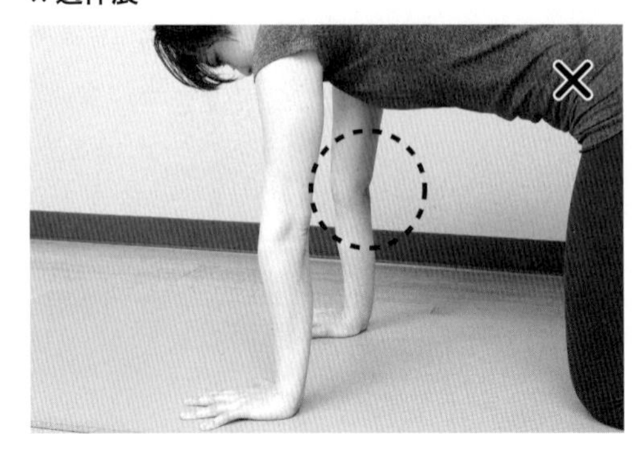

3.3　頭　部

頭部を手で支える場合のポイント

頭部を持ち上げるようなエクササイズの時に，手を後頭部にあてて支える。この時，乳様突起に母指球をあてて，後頭部を上方に牽引するようにし，動きの間首が詰まらないように胸椎の動きを促す。

◆乳様突起に母指球をあてて上方に牽引する

◆横からみた図

胸を開くエクササイズのポイント

胸を開くエクササイズの時には，肘を押し上げるようにして，肩甲骨から肋骨を前方に押し広げる。首は牽引し続け，首の長さを極力維持する。

◆胸を開くエクササイズ

◆横からみた図

背臥位で，手を頭の後ろで組む場合のポイント

- 手のひらに頭部を乗せ首の前面をリラックスする。
- 肩甲骨を前に突き出すことで，頭部の重さを支える。
- 肘が視野に入るようにする。肘の位置が広すぎても狭すぎてもよくない。

悪い例

× 肩が挙上して首が詰まる

× 首が力んで胸鎖乳突筋が浮き出ている

3.4 足 部

足部の肢位

エクササイズでよく使う足部の肢位として，「フレックス」と「ポイント」がある。

◆フレックス：足関節を背屈し，足趾を軽く反る位置

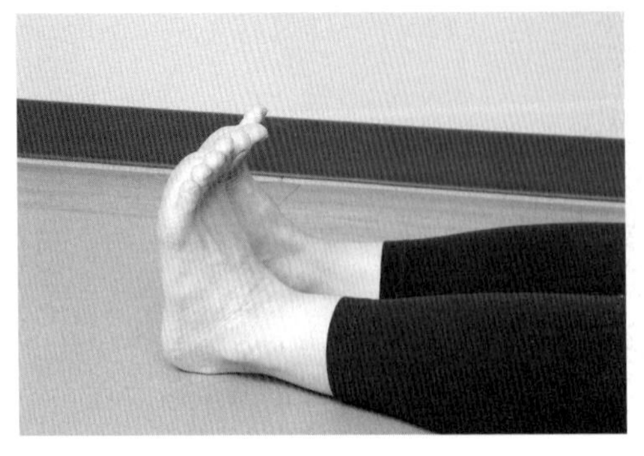

◆ポイント：足関節を底屈し，足趾を遠くに伸ばす位置

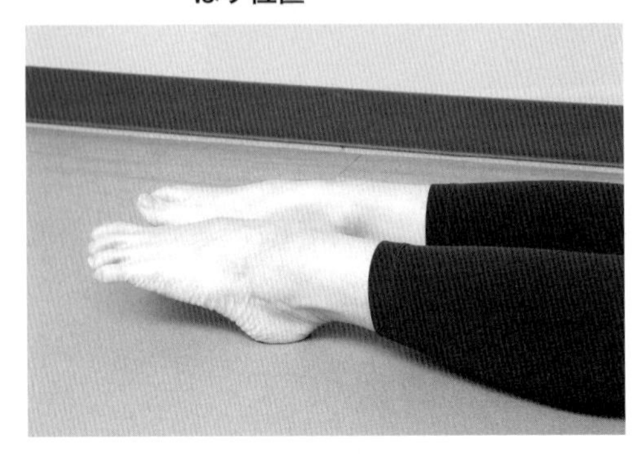

準備 4 呼 吸

4.1 エクササイズ中の呼吸

4.1.1 胸式呼吸

エクササイズ中の呼吸については，胸式呼吸を基本とする。

ピラティスのエクササイズでは，腹部をふくらませるような腹式呼吸は，一般的に行わない。姿勢を引き上げ，アップライト（直立）な姿勢をつくると，自律神経は交感神経が優位になり，心身ともに活動的な状態となり，広がった胸を中心とした胸式呼吸になるのである。

4.1.2 動きと呼吸の関係

動きと呼吸の関係については，以下のような原則がある。

動きと呼吸の関係の原則

- 胸を開く動き：吸気
- 胸を閉じる動き：呼気

ただし，呼吸を意識しすぎるために動きが雑になるなど，呼吸を意識することが負担になる時は，自然な（自由な）呼吸を行うことがすすめられる。

さらに，1動作を1呼吸で行う，比較的ダイナミック（動的）な方法と，一定の姿勢を保持しながら3～5呼吸行う，比較的スタティック（静的）な方法がある。エクササイズの種類や対象者によって，使い分けが必要である。本書では，各エクササイズについて呼吸方法を特に指定していない。様々な方法を試し，違いを感じて，各ケースに合った方法を探してほしい。

準備エクササイズ 1

足首まわし

目　的：足部の分離運動を促す。

ターゲットとなる筋肉：前・後脛骨筋，長・短腓骨筋

注意点：

- 足の動きに対して膝や股関節が一緒に動かないようにする。はじめは膝を手でつかまえながら行う。膝の上にコインなどを置き，落とさないようにして行ってもよい。

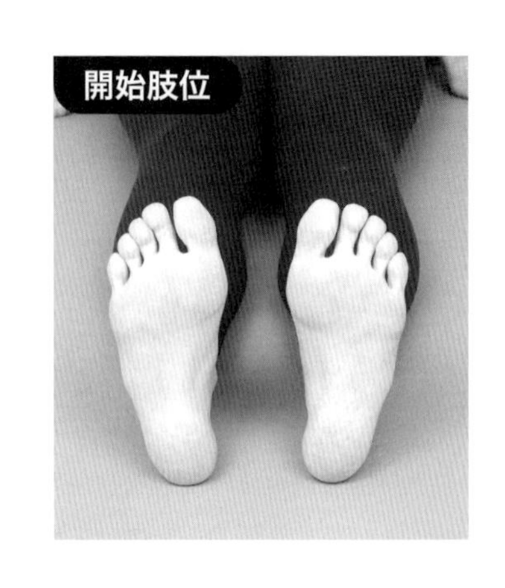

開始肢位：長座位になり，手を後ろについて楽な姿勢をとる。足は骨盤幅に開く。

動　作：

❶〜❹両足首を，❶内側→❷上→❸外側→❹下に回す。

逆方向へも行う。

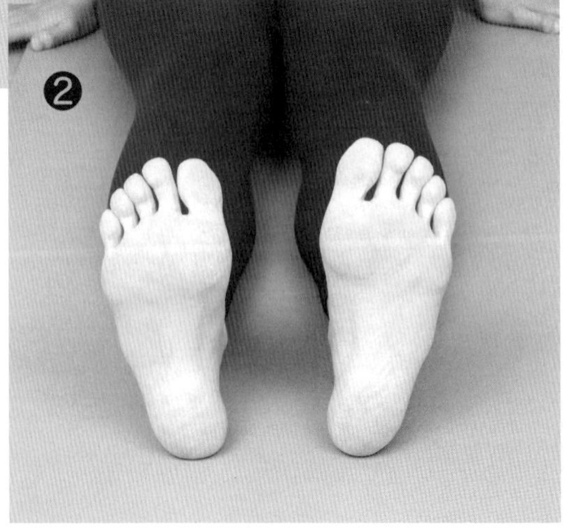

バリエーション 1

両足首を同じ方向に回す。

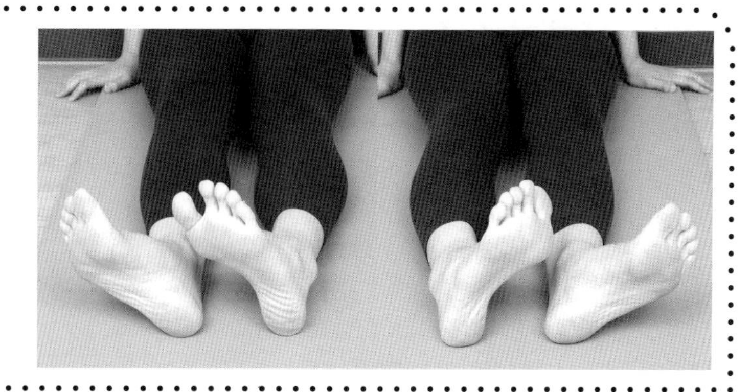

バリエーション 2

両足首を回すリズムをずらす。

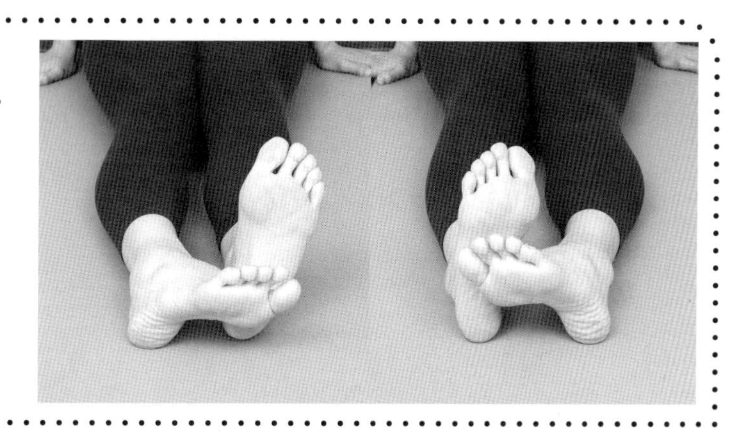

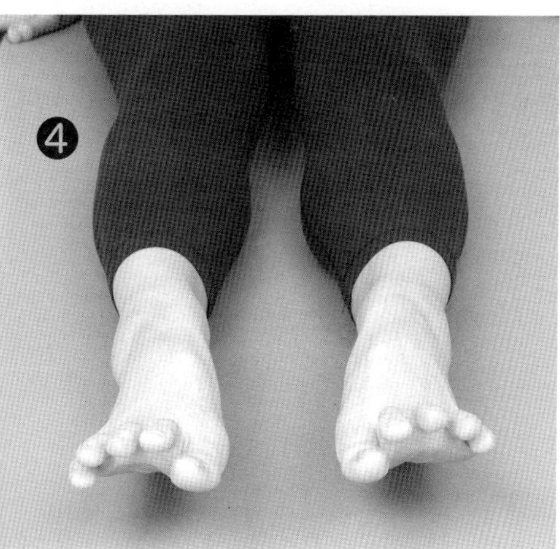

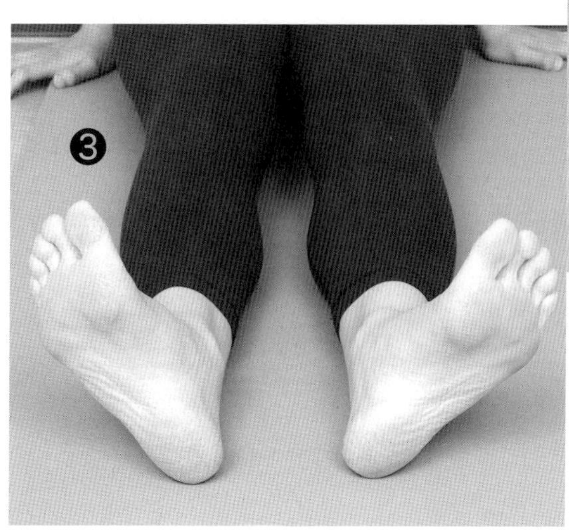

準備エクササイズ 2

足関節と足趾の運動

目　的: 足趾の筋力を強化し, 可動域を改善する。テノデーシスアクション*を促す。

ターゲットとなる筋肉： 虫様筋, 母趾内転筋, 長・短趾屈筋, 長・短趾伸筋, 短母趾屈筋

注意点：

- 足関節の背屈と足趾の屈曲, 足関節の底屈と足趾の伸展のペア, それぞれの動きのメリハリをつける。

開始肢位： 長座位になり, 手を後ろについて楽な姿勢をとる。足は骨盤幅に開く。

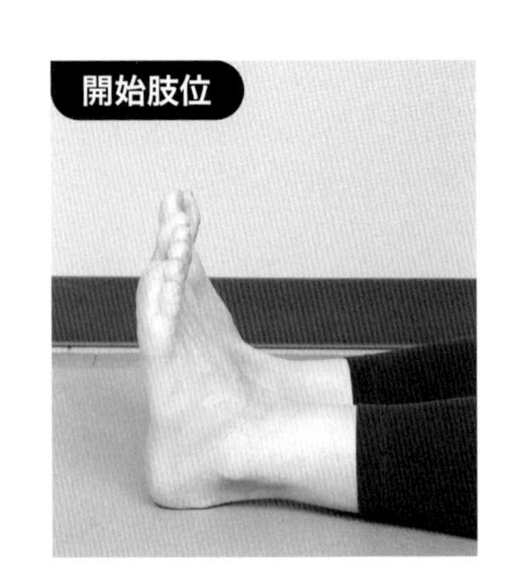

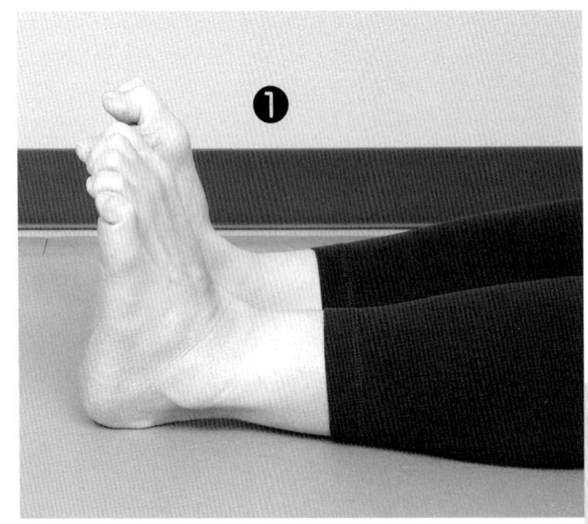

動　作：

❶足趾を握って足首を反る（足関節背屈＋足趾屈曲）。

❷足趾を反る（足関節背屈＋足趾伸展）。

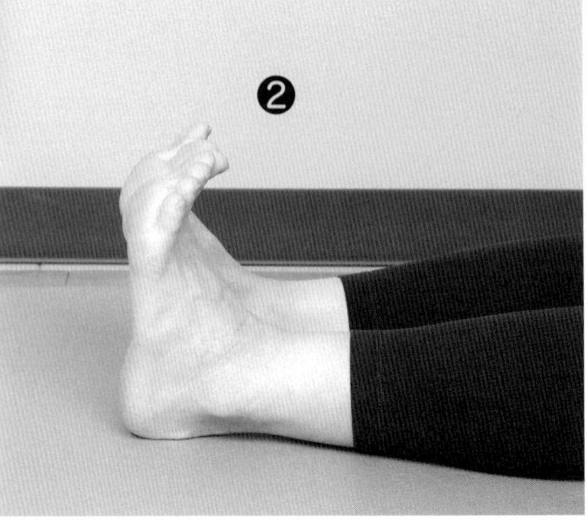

*テノデーシスアクション：ある関節運動が他の関節の筋を伸張させることによって, 自動的（オートマティック）に関節運動が起こること。脊髄損傷者が麻痺した筋の代償運動として用いることがある。例えば, 手関節を背屈すると手指の関節は屈曲し, 逆に掌屈すると伸展する。この手指の自動的な動きをいう。

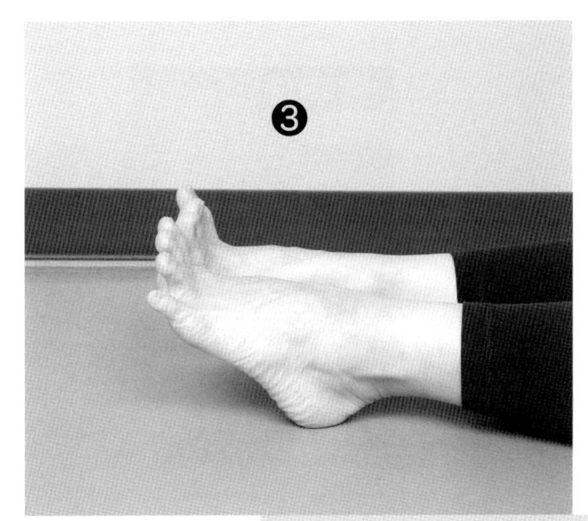

❸足趾の付け根を押し出す（足関節底屈＋足趾伸展）。

❹ポイント（足関節底屈＋足趾中間位）。前足部の裏側に縦じわをつくるように意識する。

❺足趾を握る（足関節底屈＋足趾屈曲）。

同じ動作を繰り返す。

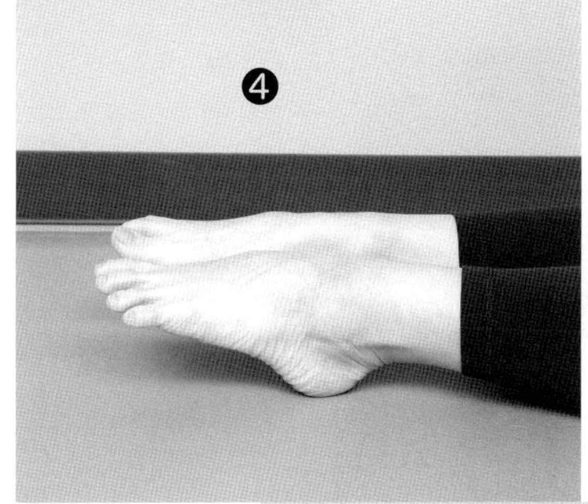

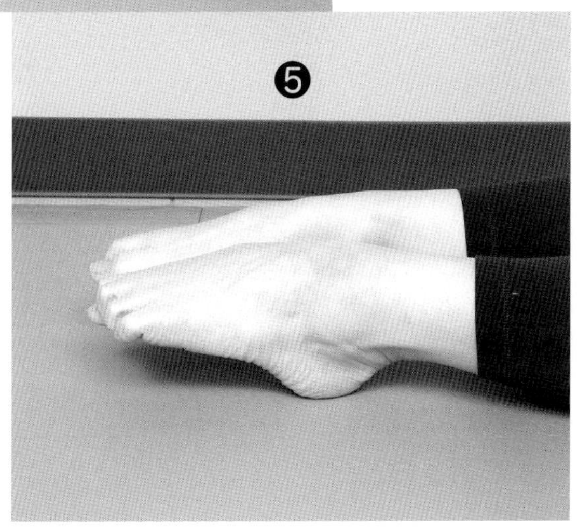

準備エクササイズ3

親指押し

目　的：母趾の筋力向上。

ターゲットとなる筋肉：母趾内転筋，母趾外転筋，腓骨筋

注意点：

● 筋肉がつったらストレッチする。

開始肢位：長座位で，手を後ろにつき，膝を曲げる。左右の足と膝を正中（体の左右の中央）につける。

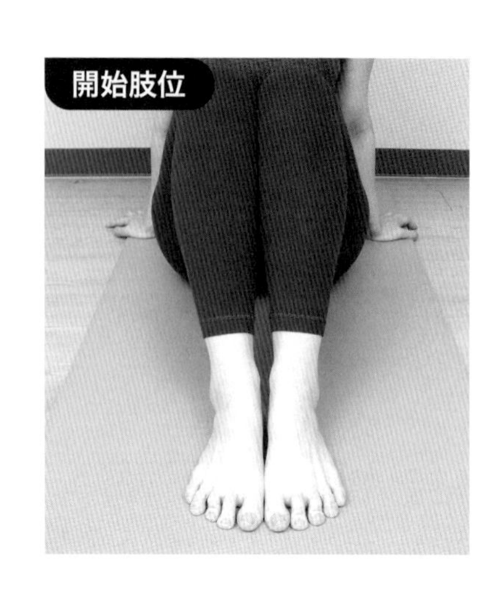

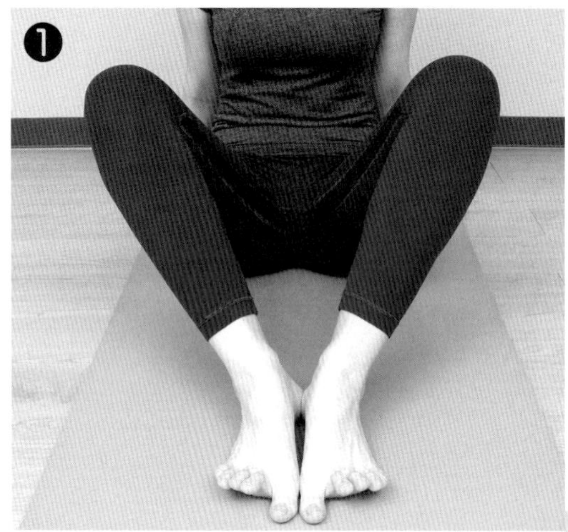

動　作：

❶両足を揃えた状態から膝を開き，土踏まずを引き上げる。親指は床につけておき，他の指は伸展して床から浮かす。

❷土踏まずを引き上げたまま，親指を上げる。

土踏まずを引き上げたまま，親指の上下運動を繰り返す。

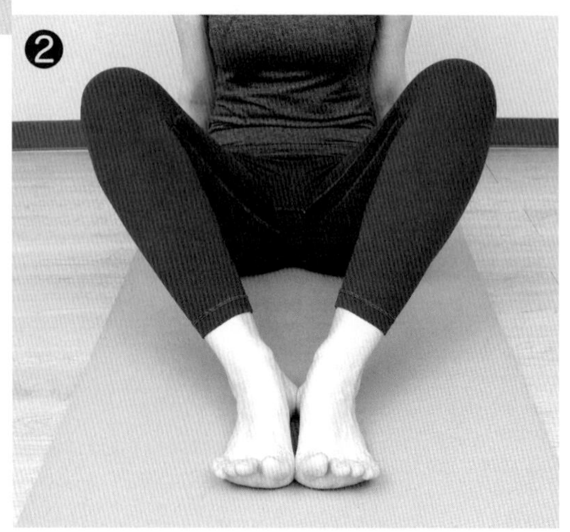

準備エクササイズ 4

足裏浮かし

目　的：横アーチの動きを促す。

ターゲットとなる筋肉：短趾屈筋，虫様筋，母趾内転筋，母趾外転筋

注意点：

- 踵を上げすぎないようにする。
- 指の付け根は使わず，先端のみで床を押す。

開始肢位：正座から，片方の膝を立てる。

開始肢位

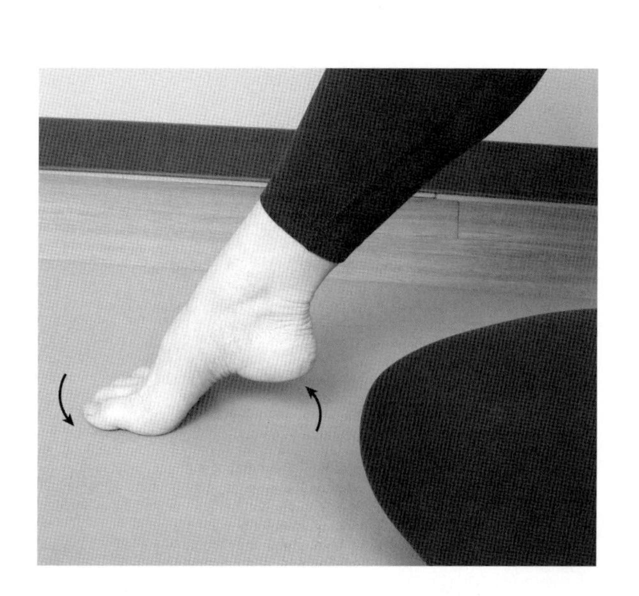

動　作：

踵を軽く浮かせ，指先で床を押さえる。足裏を床から浮かせるイメージである。虫様筋を働かせるために，指は握らないようにする。10 秒保持する。

数回繰り返す。

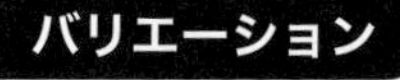

母指球を浮かしてつま先だけで床を押し，足裏の横アーチを引き上げる（左の写真）。手でサポートする方法もある（右の写真）。

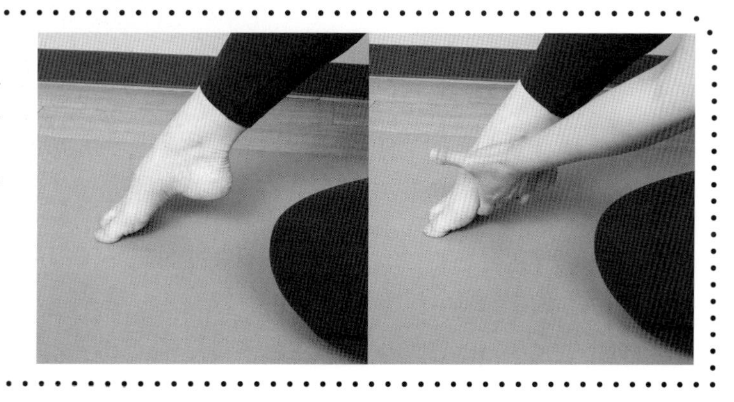

準備エクササイズ 5

胸椎側屈モビライゼーション

目　的：胸椎の側屈運動を促す。

ターゲットとなる筋肉：下後鋸筋，僧帽筋下部，腰方形筋

注意点：

- 肩甲骨から動きを起こす。腰から動かさないようにする。
- 頭は動かないように正中に保持する。
- 肩に違和感や可動域制限がある場合は，手を床まで下ろさないよう注意する。

開始肢位：ローラーの上に背臥位になる。膝を曲げ骨盤幅に開く。両手の指をからませ，頭上で床に下ろす。

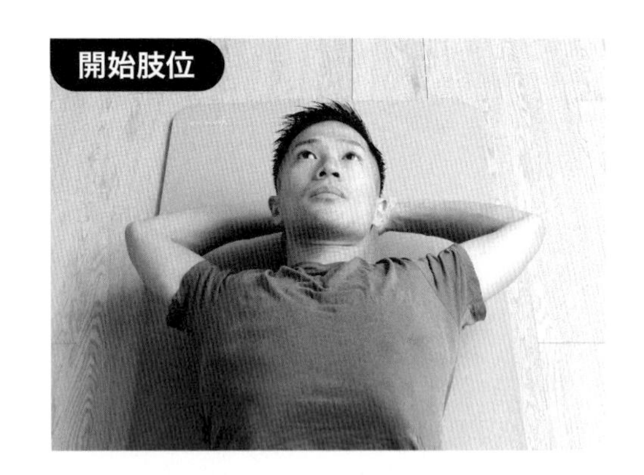

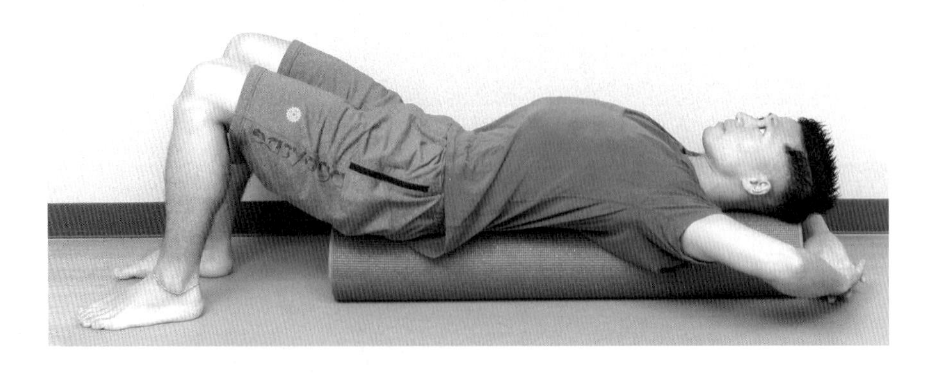

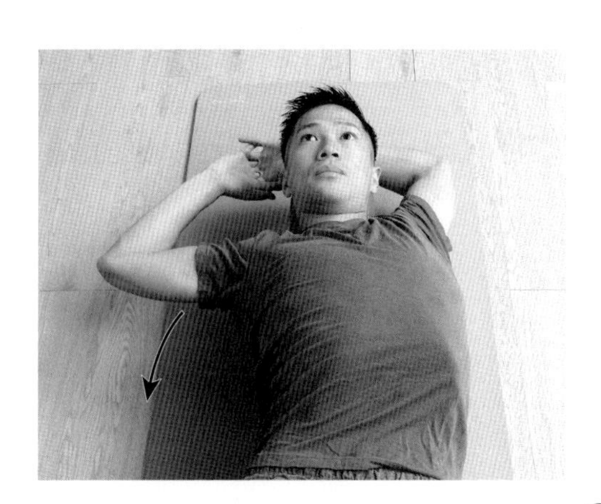

動　作：

❶肘と肩甲骨を左に動かす。

❷肘と肩甲骨を右に動かす。

❶, ❷をリズミカルに繰り返す。それに伴って胸椎が動くことを感じる。骨盤も動く。

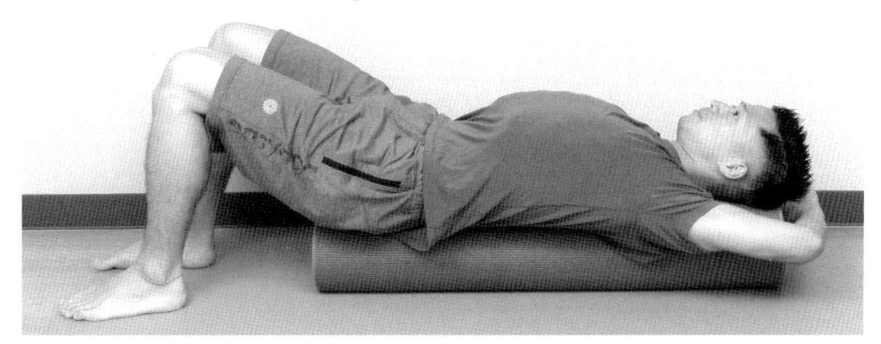

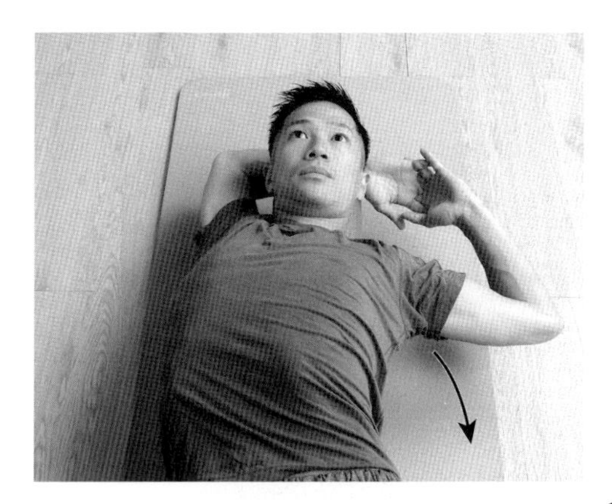

準備エクササイズ 6

胸椎（みぞおち）の柔軟運動

目　的：胸椎の可動性を促す。

ターゲットとなる筋肉：胸横筋，胸棘筋，下後鋸筋，外腹斜筋

注意点：
- 骨盤はあまり動かさないようにする。
- 左右の坐骨にできるだけ均等に体重をかけるようにする。
- 体の「伸びている」側を中心に感じ，「縮んでいる」側を強調しないようにする（コラム 1 参照）。

開始肢位：ローラーの上に座る。みぞおちに中指をあて背すじを伸ばす。足は安定し快適な位置に置く。

開始肢位

動　作：

❶みぞおちを左に移動させ，同時に頭を右へ傾ける。

❷みぞおちを右に移動させ，同時に頭を左へ傾ける。

❸肘を前に突き出しながらみぞおちを背面へ押し込む。首の後ろの伸びを感じる。

❹みぞおちを前かつ上に引き上げつつ斜め上を見上げる。

❶，❷（左右の動き）を３～５回繰り返し，次に❸，❹（前後の動き）を３～５回繰り返す。

その後，❶→❸→❷→❹と，みぞおちで円を描くように動きをつなげる。

コラム 1

伸びる部分と縮む部分

体を横に倒す時などには，倒れていく方の縮む部分と，反対側の伸びる部分ができます。ピラティスのエクササイズは，伸長を促すことが目的なので，縮む部分よりも伸びる部分を大切にします。また，縮む部分は，できるだけ縮み（圧迫）が少なくなるように動く必要があります。

例：サイドフロー

左：体の伸びが足りず，倒れた方に大きく傾いている。

右：伸びている部分を強調しているため，それがストッパーとなり過剰な縮みを抑制している。

例：マーメイド

左：倒れる方が強調され，縮んでいることを示す皺ができている。

右：腕を長く使うことでみぞおちから動きが起こり，縮みよりも伸びが強調されている。

III

ベーシックエクササイズ

座位のエクササイズ 1

マーメイド

目　的：胸椎の動きを促す。体側を伸ばす。軸の伸長を促す。

ターゲットとなる筋肉：前鋸筋，広背筋，外腹斜筋，腸腰筋

注意点：
- 動作中，左右の坐骨にかかる荷重が均等になるようにする。
- 縮む側よりも伸びる側を意識する。

開始肢位：ローラーの上に座る。安定するよう両足を肩幅より広く広げ，快適な肢位をとる。

動　作：

❶右手を斜め横から上に上げる。

❷手をさらに上に伸ばす。これによって，みぞおち・胸椎が動き始める。

❸上体を左へ倒す。指がさらに伸びていくようなイメージである。左手でローラーを押し，上体を引き上げる。

バリエーション１

開始肢位から，手を一度反対の方向にクロスして，それから上げる。手を必ず視野の範囲に入れることで，肩と首の詰まりを予防できる（コラム２参照）。

バリエーション２

手を斜め前ではなく真横に上げて，側屈を強調して行う。（手は視野の範囲から外れる）

❹みぞおちを天井の方向に開くようにして，脇の下から天井を見上げる*。

❺みぞおちを床に向けて背中を伸ばす。視線も自然に斜め前方の床を見る。

❹→❶の肢位を通り，開始肢位に戻る。

反対側も同様に行い，３～５回繰り返す**。

*みぞおちを天井の方へ開く時に，肩を引かないようにする。

**エクササイズの回数は，３～５回繰り返すのが基本的な方法である。以下，記載がないものは，同様に行うものとする。

座位のエクササイズ 2

スパインツイスト

目　的：回旋筋の動きを促す。胸椎の回旋可動性を向上させる。

ターゲットとなる筋肉：前鋸筋，外腹斜筋，内腹斜筋，下後鋸筋，脊柱起立筋

注意点：
- 上体を捻る時に体を横にシフトさせず，まっすぐ上に伸びたまま行う。
- 坐骨の荷重を均等にする。

開始肢位：ローラーに座る。両手でそれぞれ反対側の肘を抱える。

動　作：

❶上体を右へ捻る。

❷捻り切ったところで肘を伸ばし，視線を後ろの手に向ける。

開始肢位に戻る。

❸❹反対側へも同様に行う。

バリエーション

なれてきたら，肘を伸ばしてから上体を捻る。両腕を体の前でクロスしながら上げることで，肩の下制を促すことができ，さらに体を引き延ばすことができる。
❶体の前で両腕をクロスする。
❷腕を上に持ち上げる。
❸両腕を左右に開き，肩の高さで止める。
❹上体を左右に捻る。

座位のエクササイズ 3

ソウ

目　的：回旋筋の動きを促す。

ターゲットとなる筋肉：前鋸筋，外腹斜筋，下後鋸筋，内腹斜筋，脊柱起立筋

注意点：
- 股関節からではなく，胸椎から動くようにする。
- 体を常に上に引き上げ，特に腰を縮めないように注意する。

開始肢位：ローラーに座り，両腕を斜め前に伸ばす。

動　作：

❶体の中心から腕を伸ばすように意識しながら，上体を右に捻る。

❷左手を床の方向に伸ばしながら左肋骨を絞る。視線を後ろの手に向け，後ろの腕を内旋，前の腕を外旋させる。

バリエーション 1

スパインツイストのように肘を曲げ，上体を捻ってから肘を伸ばす。

バリエーション 2

膝立ち位で，ローラーを手に持って行う。
❶ローラーを持ち，膝立ち位になる。
❷上体を捻る。
❸前屈し体幹を絞る。

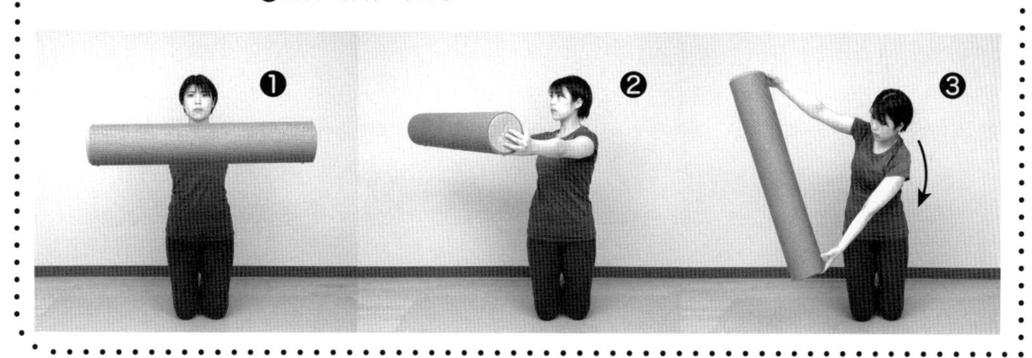

バリエーション 3

基本動作では，❷で上に伸ばす腕を内旋，下に伸ばす腕を外旋させるが，上を外旋，下を内旋させることで，体幹の回旋を促す。

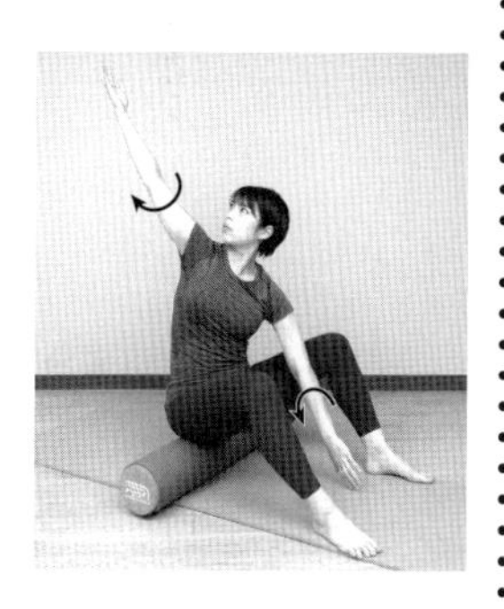

❸❶に戻り，左手を天井の方向に伸ばし，右手を床につけるように伸ばす。視線は手に向ける。

❶を通り，開始肢位に戻る。

反対側でも同様に行う。

座位のエクササイズ 4

ヒンジバック

目　的：前面筋の動きを促す。軸の伸長を促す。

ターゲットとなる筋肉：腸腰筋，腹筋群，胸鎖乳突筋，斜角筋

注意点：

- 坐骨がローラーからずり落ちないようにする。
- 骨盤を起こし腰椎の前弯を保持する。骨盤が後方に倒れてしまう（後傾する）場合は，足の置き方を変えて，骨盤が起きる位置を探す。
- 肘をロックしないように注意する。

開始肢位：ローラーに座る。膝の下に両手を入れ，肘を横に張ることで背中を開く。

開始肢位

動　作：

❶股関節から上をまっすぐに保ったまま，上体を後方へ傾ける。特に，頭が背骨の延長線上に位置するよう意識する。鼡径部で体を支える意識を持つ。

❷開始肢位に戻る。

数回繰り返す。

バリエーション 1

❶基本動作の❶から，両腕を視線の高さまで持ち上げる*。視線は手に向ける。
❷視野から外れない範囲で，両手を天井に向けて上げる。

*肘をロックしないように注意する。

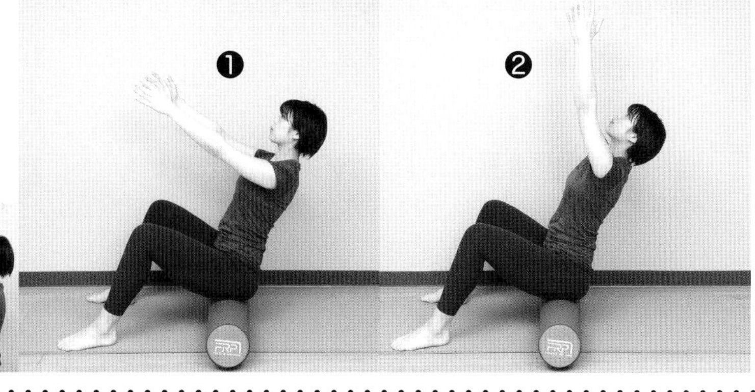

バリエーション 2

❶バリエーション 1 の❶から，片手を上に上げる。
❷体を後ろに捻り，遠くのものをとろうとするように手を伸ばす*。
❸同じ軌跡を通り開始肢位に戻るか，手を横に開いて戻ってもよい。
反対側も同じように行う。

*腕だけの動きにならないように，頭を腕に近づけるようにして，首から胸の動きを促す。

バリエーション 3

❶基本動作の❶から，左膝を伸ばす。
❷右腕を上げる。
❸右腕を下ろし，左腕を上げる。
❹左腕を上げたまま，右腕も上げる。

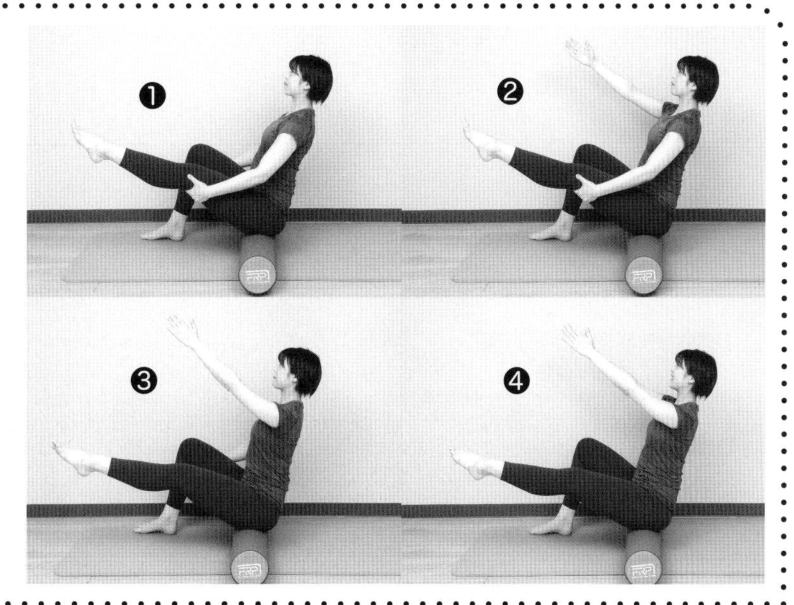

臥位のエクササイズ 1

チェストリフト

目　的：胸椎の柔軟性を向上させる。腹筋群の動きを促す。

ターゲットとなる筋肉：外腹斜筋，前鋸筋，胸横筋

注意点：
- 腰を反りすぎないようにする。腰に痛みや違和感が出た場合は，ローラーの位置を頭の方向にずらす。頭が床につかない場合は，快適に行うことができる範囲までの動きとする。

開始肢位：マットの上に両膝を立てて座り，ローラーを肩甲骨のやや下方，みぞおちの裏側にあてる。両手を頭の後ろで組む。

動　作：
徐々に胸を開いて上体を倒し，頭を床につける。

バリエーション 1

❶殿部を浮かす。
❷胸を広げて頭を床につける。

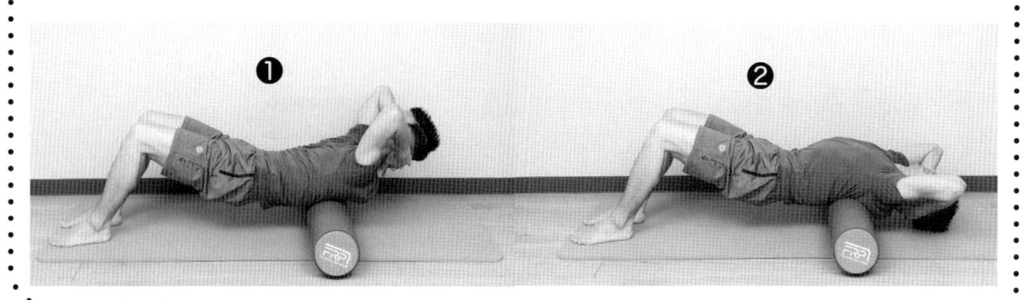

バリエーション 2

殿部と頭部の動きを組み合わせる。
❶殿部を浮かす。
❷胸を広げて頭を床につける。
❸殿部をゆっくりと床につける。

バリエーション 3

ローラーをあてる場所を，肩甲骨のやや下方から徐々に下にずらして，脊椎 1 つずつを押すことで，伸展を促す。下部腰椎は過伸展の危険性があるため，あてる場所は上部腰椎までとし，下部腰椎は押さないようにする。

臥位のエクササイズ２

デッドバグス

目　的：股関節の分離運動と体幹部の安定性の向上。

ターゲットとなる筋肉：腸腰筋，腹斜筋群，前鋸筋

注意点：
- 腰の後ろに手のひら１枚程度の隙間（腰椎の前弯）を，常にあけておくようにする。

開始肢位：ローラーの上に背臥位（仰向け）になり，両膝を立てる。足を骨盤幅に開く。両手は軽く床に触れる。肩甲骨を下制し首を長くする。

開始肢位

動　作：
膝の角度を変えずに，片脚を鼡径部から屈曲する。

開始肢位に戻り，反対側でも同様に行う。

バリエーション 1

両手を挙上して行うことにより，バランスを難しくする。

バリエーション 2

床についている足をつま先立ちにして，バリエーション 1 を行う。バランスがさらに難しくなる。

バリエーション 3

屈曲する側の膝を伸ばして行うことで，負荷を増す。脚の重さで腰が反らないように注意する。

バリエーション 4

両脚を上げた位置から，片脚を下ろす。バランスが難しくなる。

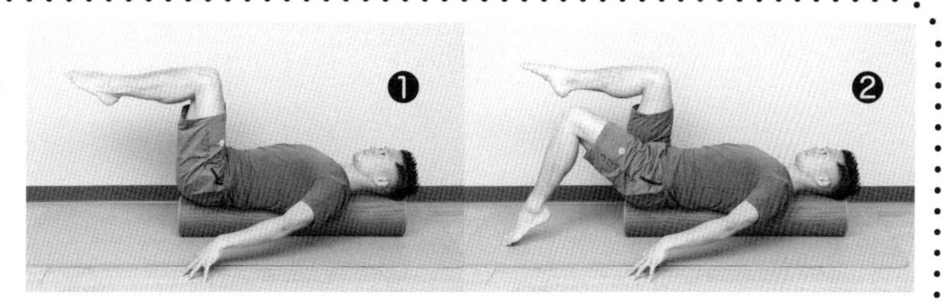

バリエーション 5

両脚を上げたところから，片膝を伸ばし，その脚を床と平行なところまで下ろす。負荷が増し，バランスが難しくなる。脚の重さで骨盤が反らないように注意する。

臥位のエクササイズ３

アームアークス

目　的：腹部の安定性の向上，肩関節の分離運動。

ターゲットとなる筋肉：外腹斜筋，前鋸筋，腸腰筋，腹横筋

注意点：
- 肩甲骨が挙上したり，床の方に落ちると，肋骨が開くので，開きすぎないようにする。
- 腰の後ろに手のひら１枚程度の隙間（腰椎の前弯）を常にあけておくようにする。

開始肢位：ローラーの上に背臥位になり，両膝を立てる。足を骨盤幅に開く。両手は軽く床に触れる。肩甲骨を下制し首を長くする。

開始肢位

動　作：

❶手を天井の方に伸ばし，背中を広げる。

❷両手を，視野の範囲のギリギリまで頭側に上げる*。

呼吸に合わせて５回ほど繰り返す。

*手が視野の範囲から外れると，肩甲骨の安定性がなくなってしまう。

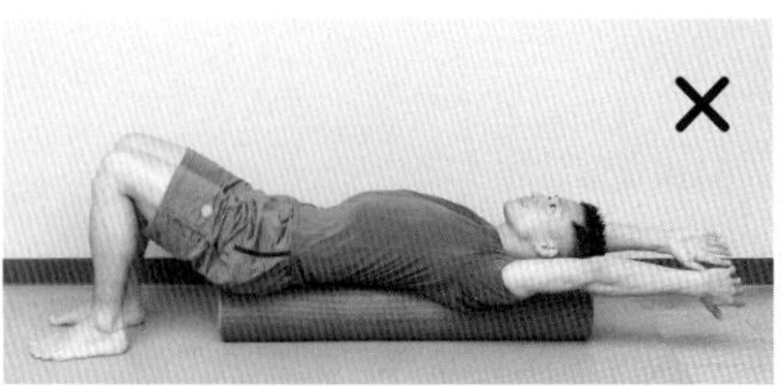

バリエーション 1

基本動作❷の肢位から，膝の角度を変えずに片脚を上げ下げする。

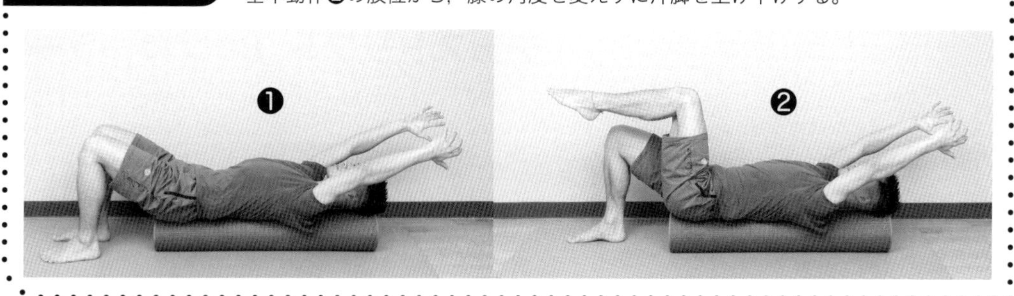

バリエーション 2

床についている足をつま先立ちにしてバリエーション 1 の動作を行うと，バランスが難しくなる。

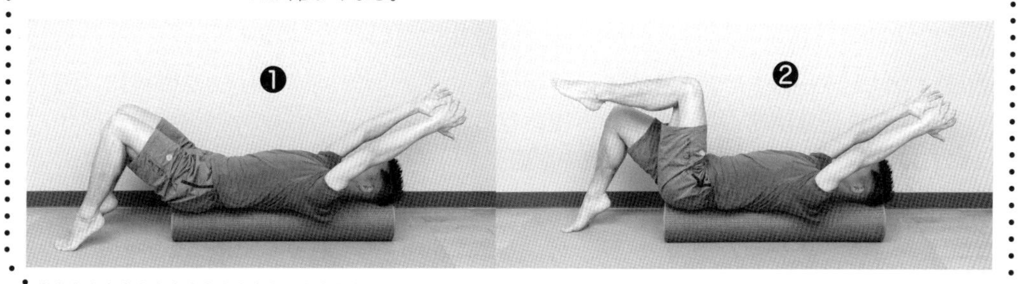

バリエーション 3

膝を伸ばしてバリエーション 1 を行うと，さらに負荷が増す。

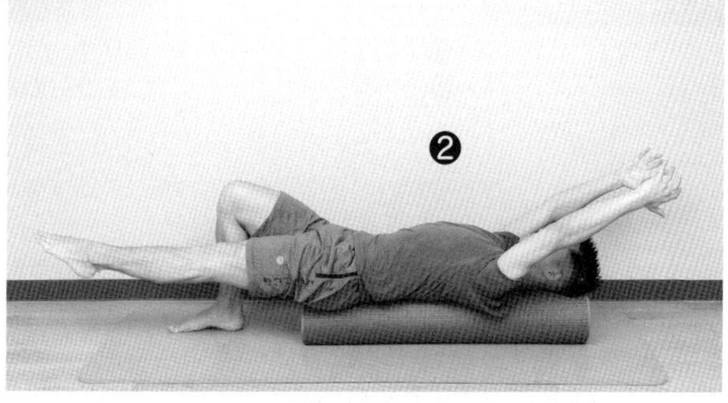

臥位のエクササイズ４

チェストリフト（オンローラー）

目　的：腹部の動きを促す。

ターゲットとなる筋肉：外腹斜筋，前鋸筋，胸横筋

注意点：

- 首には力を入れない。肩甲骨で首を支えるという意識で行う。

開始肢位：ローラーの上に背臥位になり，両膝を立てる。足を骨盤幅に開く。両手を組み後頭部の後ろにあてる。肘を視野の範囲に入れ，背中を開く。

開始肢位

動　作：

息を吐きながら肋骨を引き下げ，頭を持ち上げる。

息を吸いながら，頭を下ろす。

バリエーション

頭を持ち上げずに行うことで，負荷を減らすことができる。

❶両腕を挙上し天井の方に伸ばす。

❷肩甲骨を開く。こうすることで，肋骨が中心に寄る。

臥位のエクササイズ５

チェストリフト＋デッドバグス

目　的：腹部の動きと股関節の分離運動を促す。

ターゲットとなる筋肉：腹斜筋，前鋸筋，腸腰筋

注意点：

- 腰の後ろに手のひら１枚程度の隙間（腰椎の前弯）をあけておく。

開始肢位：チェストリフトの肢位から始める。

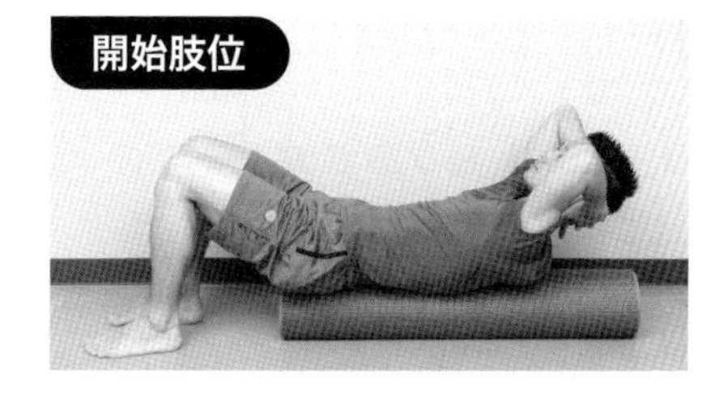

動　作：

❶左膝の角度を変えずに股関節を曲げる。

❷左膝を伸ばす。

❸つま先を伸ばし，脚を床と平行に下ろす。

バリエーション

クライムアツリー

❶基本動作❷の肢位から，両手を離し，挙上している膝の裏を持つ*。

❷その脚を遠くに伸ばす。このようにすることで，頚部と体幹への負荷が増す。

*この時に肩がすくみやすいので，肘を外に押し出して肩を下げる。

臥位のエクササイズ 6

ダート

目　的：背筋の動きを促す。

ターゲットとなる筋肉：菱形筋，胸棘筋，脊柱起立筋，広背筋

注意点：
- 足が持ち上がるほど過剰に反らないようにする。上半身だけで反るよう意識する。

開始肢位：マットの上に腹臥位（うつ伏せ）になる。ローラーを殿部の上に置き，その上に手を乗せる。

開始肢位

動　作：
ローラーを足の方向に転がし，それに伴って上体を起こす。

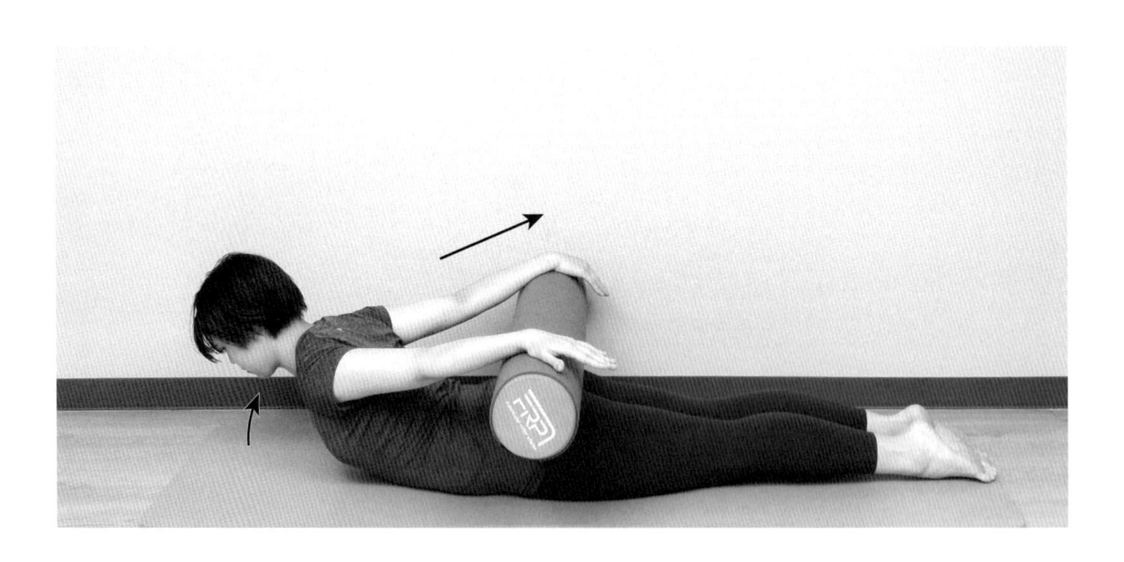

バリエーション 1

❶基本動作の開始肢位から，ローラーを手のひらに乗せる。
❷肩甲骨を下制して胸を開く。
❸可能な範囲でローラーを天井に向かって持ち上げる。

バリエーション 2

下半身後面の動きを促す。
❶ローラーを縦にして両脚の間に置き，ふくらはぎと踵で挟む。
❷ローラーを持ち上げる。可能であれば，バタ足のように小さく揺する。

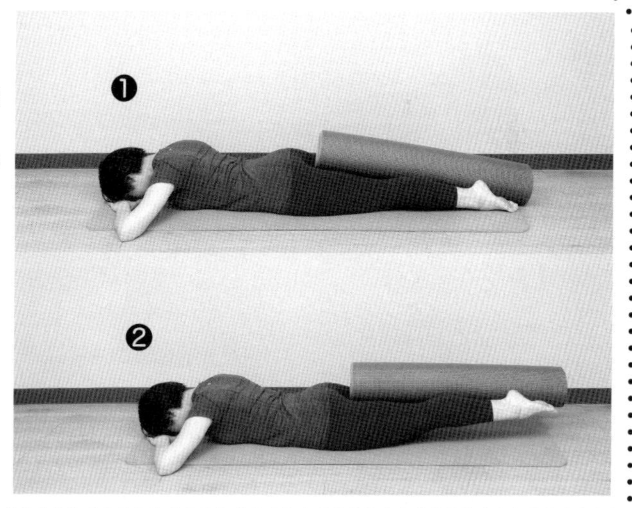

四つ這い位のエクササイズ１

オールフォアーズ

目　的：体幹筋の動きを促す。正中化。

ターゲットとなる筋肉：腹斜筋，腸腰筋，前鋸筋，脊柱起立筋

注意点：
- 骨盤を左右にシフトさせないようにする。
- 肘を過伸展しないようにする。
- 左右の脚が開かないように注意する*。

開始肢位：ローラーをまたいで四つ這いになり，肩関節の下に手首，股関節の下に膝が位置するようにする。背骨は生理的弯曲を保持する。

開始肢位

動　作：
❶片腕を伸ばす。

❷反対側の脚を伸ばす。

❶を通り，開始肢位に戻る。

反対側も同様に行う。

バリエーション 1

腕のみの動きを行うことで，負荷を減らす。

バリエーション 2

脚のみの動きを行うことで，負荷を減らす。

バリエーション 3

基本動作の❷で脚を伸ばす時に，足を床につけたまま行う。

*❷で脚を伸ばした時に，左右の脚が開かないように注意する（左）。前捻角が強い人は，内旋位にする（右）。前捻角については，別書『症状別ファンクショナルローラーピラティス』（ナップ，2017），p.24 を参照。

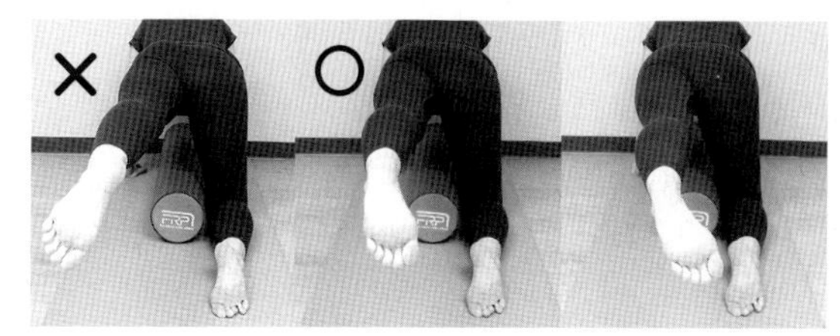

四つ這い位のエクササイズ2

オールフォアーズ（オンローラー）

目　的：正中化。

ターゲットとなる筋肉：大胸筋，内転筋群，腸腰筋

注意点：
- 背骨の生理的弯曲を保持する。
- 肘を過伸展しないようにする。

開始肢位：ローラーの上に四つ這いになり，足先は床につけて支持する。肩関節の下に手首，股関節の下に膝が位置するようにする。背骨は生理的弯曲を保持する。

動　作：

❶足の支持を外し，ローラーの上でバランスをとる。

❷可能であれば，片手を前に上げて伸ばす。

四つ這い位のエクササイズ 3

ダウンドッグ

目　的：下肢後面の伸張，体幹の伸長。

ターゲットとなる筋肉：腸腰筋，前鋸筋

注意点：

- 頭を下げすぎると肩甲骨が後退し前鋸筋の働きが低下するため*，視線を手に向けるようにして，肩甲骨を前方突出する。

開始肢位：ローラーの上に両手を置き，足は床につきつま先立ちになる。手でローラーを押し，背中を広げる。

開始肢位

動　作：
殿部を肩から遠ざけるように上体を伸ばし，踵を床につける。

*頭を下げすぎると，肩に過剰にストレスがかかる（肩甲骨の後退と肩関節の屈曲）。

膝立ち位のエクササイズ 1
ニーリング・エロンゲーション

目　的：軸の伸長。

ターゲットとなる筋肉：固有背筋群（深層筋），前鋸筋，下後鋸筋，腹横筋，肋骨挙筋，腹斜筋

注意点：
- 肘を後ろに引いてしまうと，肩甲骨が背骨に寄り肋骨が開いてしまうため，注意する。
- 軽く顎を上げ，遠くを見る。顎を引くと首にストレスがかかるため，注意する。
- 上体を捻る時に，頭頂が天井の方向に伸びている感覚を持ち続けるようにする。
- 骨盤がぐらぐら動かないようにする。

開始肢位：マットの上に膝立ちになる。ローラーを頭頂にあて，背骨を伸ばす。両手をローラーのエッジ（端）に引っ掛け，腕の重さをローラーにかける。肘を外に押し広げるようにして，肩甲骨を開く。胸骨を引き上げ，腹部が薄くなっていることを確認する。

動　作：
❶上体を右へ捻る。

❷開始肢位に戻り，上体を左へ捻る。

ベーシックエクササイズ

膝立ち位のエクササイズ 2

ニーリング・ダート

目　的：腹筋・背筋のバランス，軸の伸長。

ターゲットとなる筋肉：広背筋，三角筋，腹斜筋

注意点：
- 骨盤を動かさないようにする。胸が動きの中心なので，腰を反りすぎないようにする。

開始肢位：マットの上に膝立ちになる*。両手を背面に回し，ローラーのエッジを持つ。

開始肢位

動　作：
肩甲骨を広げたまま，ローラーを殿部から後ろに離していく。

*足の指は伸ばしてもよい。やりやすい方を選択する。

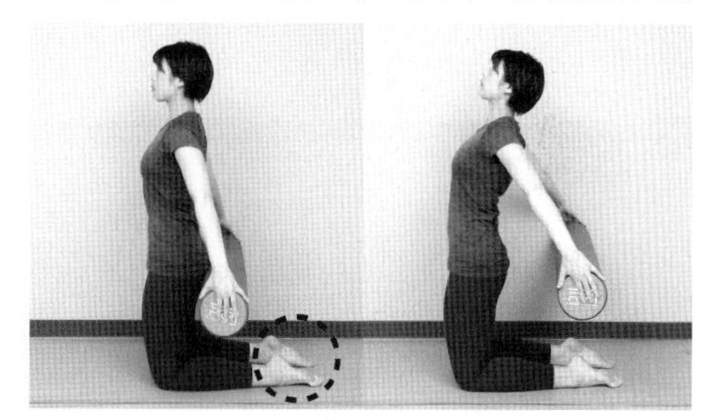

バリエーション

膝から上を後ろに傾けて行うと，強度が増す。

❶ ❷

立位のエクササイズ 1

スタンディング・エロンゲーション

目　的：軸の伸長，片足でのバランス能力向上。

ターゲットとなる筋肉：固有背筋群（深層筋），前鋸筋，下後鋸筋，腹横筋，肋骨挙筋

注意点：

- ローラーを頭頂に乗せるようにする。位置がずれると，軸を伸長することができない。

開始肢位：両足を腰幅に開き立つ。ローラーを両手で持ち，頭頂にあてる。両手をローラーのエッジに引っ掛け，腕の重さをローラーにかけ，それに対抗するように背筋を伸ばす。肘を外に押し広げるようにして，肩甲骨を開く。胸骨を引き上げ，腹部が薄くなっていることを確認する。

動　作：

❶股関節と膝を屈曲する。骨盤より上はニュートラルに保持する。

❷片側の脚を真後ろに引く。

バリエーション

基本動作の開始肢位から前に 1 歩踏み出し，片膝立ちになる。脛が床と垂直になるようにする。

❸後ろに引いた脚の膝を伸ばす。

❹伸ばした脚を床から浮かせ，体を一直線にし，床と平行にする。大殿筋ではなく，ハムストリングを使う意識が重要である。

反対側も同様に行う。

立位のエクササイズ 2

ニュートラルランジ

目　的：ニュートラルな脊柱の維持。

ターゲットとなる筋肉：固有背筋群（特に多裂筋），腸腰筋

注意点：
- 後頭部・背中・仙骨が常にローラーに触れているようにする。

開始肢位：両足を腰幅に開き立つ。ローラーを背面に持ち，後頭部・背中・仙骨がローラーに触れるようにする。

動　作：

❶上半身をまっすぐにしたまま，股関節を曲げ，前傾する。

❷片脚を後ろに引いて膝を伸ばす。

❸伸ばした脚を床から浮かせ，体を一直線にし，床と平行にする。

可能であれば，床についている脚の膝を曲げ，スクワットする。

反対側も同様に行う。

立位のエクササイズ３
ゴルフスイング（ヴァーティカル）

目　的：体幹回旋筋の動きを促す。正中化。

ターゲットとなる筋肉：腹斜筋，前鋸筋，下後鋸筋

開始肢位：両足を腰幅に開き立つ。鼡径部から軽く前傾し，前腕全体でローラーを挟むように持つ。中心をつくるイメージである。

動　作：

❶体をみぞおちから左に捻り，ローラーも左に移動させる。

❷同様に，体を右に捻り，ローラーも右に移動させる。

１呼吸ごとに左右の動きを繰り返す。

注意点：

●骨盤を左右にシフトしないようにする。

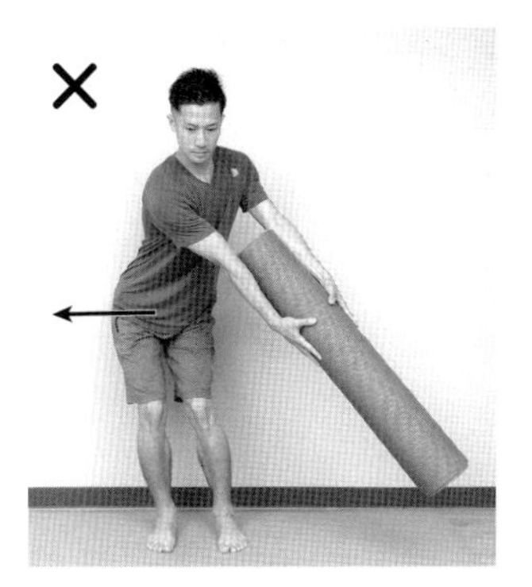

●肘は曲げない。

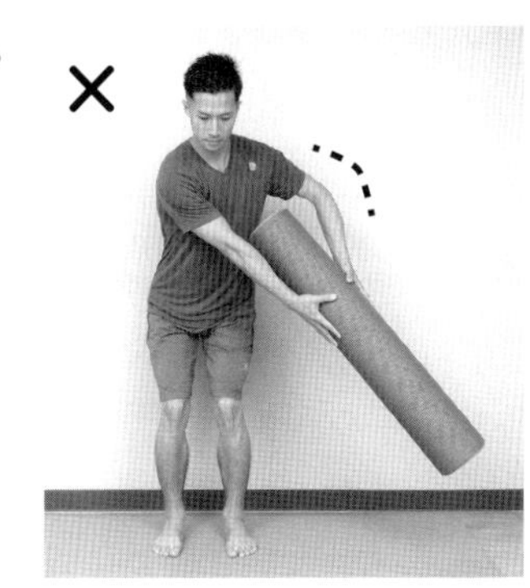

●視線は床の１点を見続ける。

●脊柱はできるだけニュートラルに維持し，丸くしないようにする。

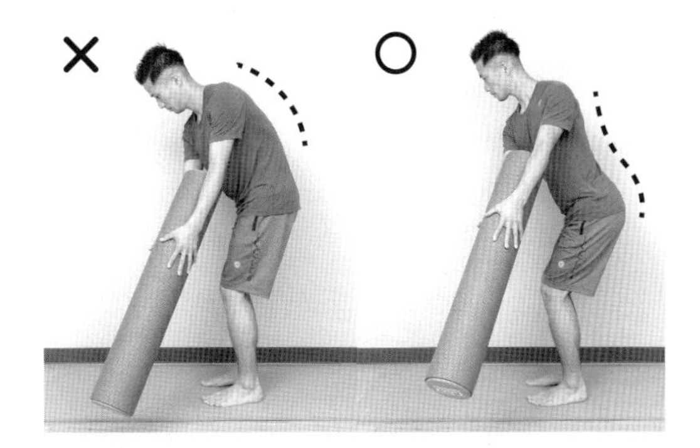

バリエーション

体を捻った位置で，３～５呼吸保持する。

立位のエクササイズ４

ゴルフスイング（ホリゾンタル）

目　的：体幹回旋筋の動きを促す。正中化。

ターゲットとなる筋肉：腹斜筋，前鋸筋，下後鋸筋

注意点：
- 骨盤が左右にシフトしないようにする。
- 肘は曲げないようにする。
- 視線は床の１点を見続ける。

開始肢位：両手でローラーのエッジを持ち，体から少し離して保持する。膝を軽く曲げ，股関節から前傾する。

動　作：

❶みぞおちから体幹を捻り，ローラーを左へ移動させる。

❷同様にローラーを右へ移動させる。

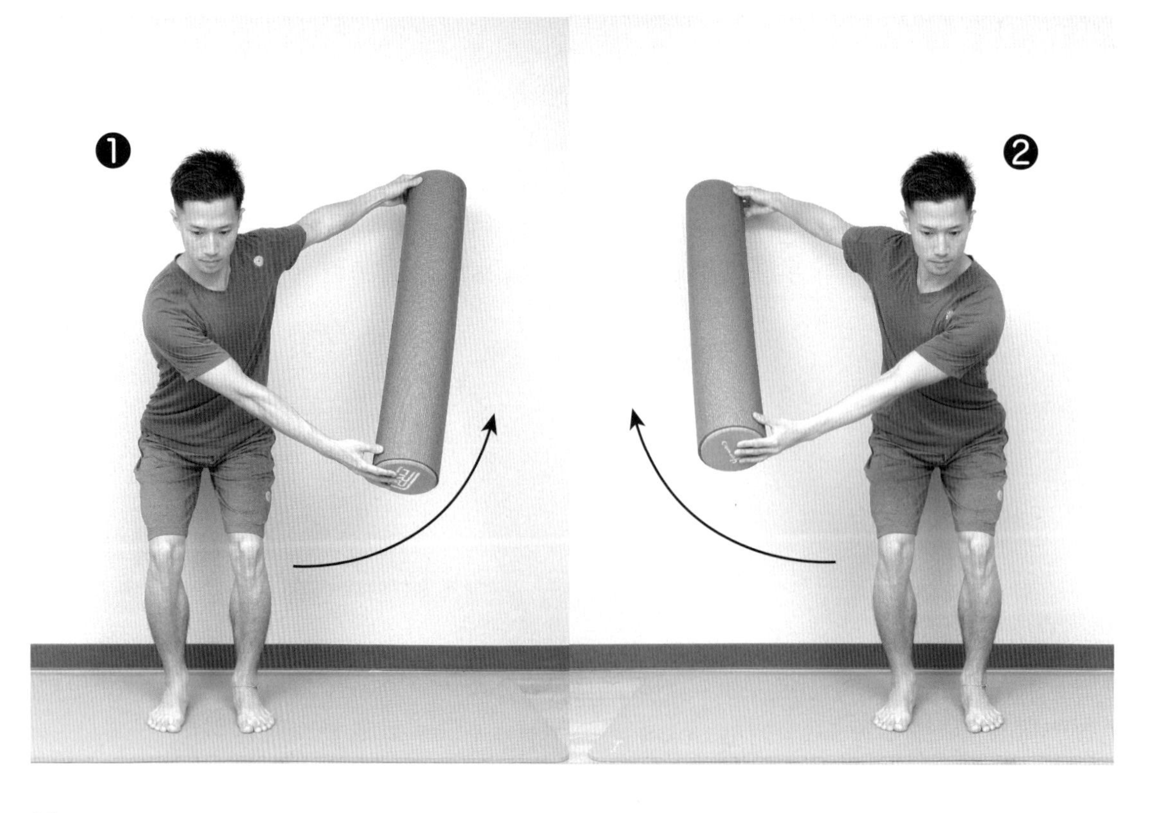

バリエーション 1

ランジ
❶体幹を左へ捻ると同時に右脚を後ろに引く。
❷反対側でも同様に行う。

バリエーション 2

8の字を描くようにローラーを回す。

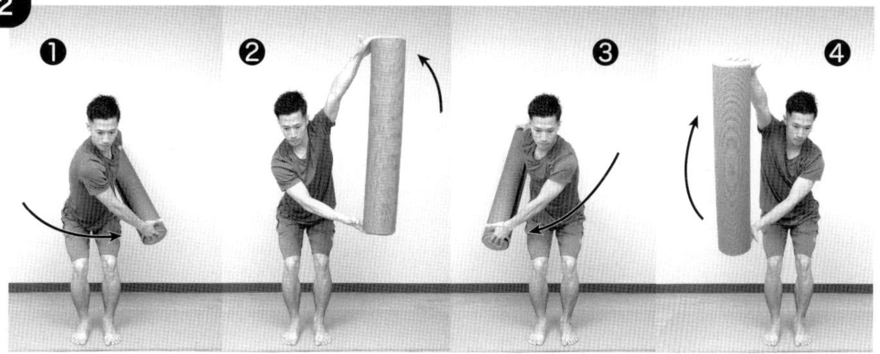

バリエーション 3

8の字を描くようにローラーを回しながら，ランジする。

立位のエクササイズ 5

ゴルフツイスト

目　的：体幹回旋筋の動きを促す。正中化。

ターゲットとなる筋肉：腹斜筋，前鋸筋，下後鋸筋

注意点：
- 骨盤を左右にシフトしないようにする*。
- 肘は伸ばして使い，曲げないようにする。
- 視線は正面を見続ける。
- 頭頂からの軸の伸長を常に意識する。

開始肢位：両手でローラーのエッジを持ち，肩の高さに持ち上げる。

動　作：

❶上半身をみぞおちから捻り，ローラーを左へ移動させる。

❷同様にローラーを右へ移動させる。

*骨盤を左右にシフトしないようにする。

バリエーション 1

上半身を捻る方向と同側の脚を上げ，捻りを深める。
脚をより高く持ち上げると，強度が増す。

バリエーション 2

片手でバリエーション 1 を行う。
手を遠くに伸ばす意識で行う。

立位のエクササイズ 6

ヒールレイズ

目　的：足部機能を促す。前後バランス能力を向上させる。

ターゲットとなる筋肉：下腿三頭筋，足の内在筋，腸腰筋，大殿筋，内転筋群

注意点：
- 足関節を内反捻挫する方向（過剰な回外）に動かさないようにする。

開始肢位：ローラーを体の前に置き，手を添える。

動　作：
❶踵を上げる。

❷踵を上げたまま膝を曲げ，スクワットをする。

バリエーション 1

片脚で行うことにより，負荷を上げる。バランスもより難しくなる。

バリエーション 2

腕を伸ばして行い，上半身の伸びも伴わせる（腕を伸ばして行うと，体幹の伸長が促される）。最終的にはローラーの支持なしでもできるようにする。

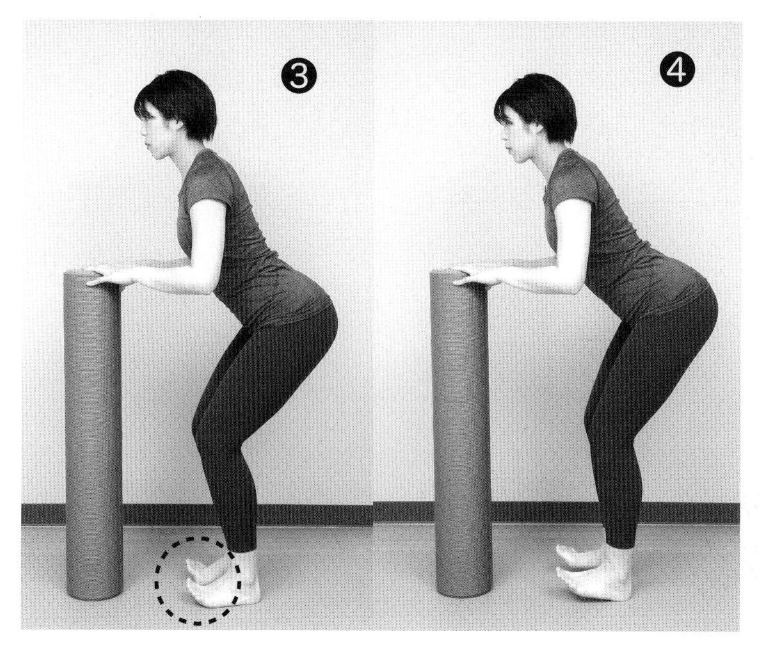

❸❹膝を曲げたまま踵をついて，指と足裏を浮かす。

❷→❶を通って，開始肢位に戻る。

立位のエクササイズ 7

スタンディング・フットワーク

目　的：足部機能を促す。

ターゲットとなる筋肉：下腿三頭筋，足の内在筋

注意点：

- 足関節を内反捻挫する方向（過剰な内がえし）に動かさないようにする。

開始肢位：ローラーを体の前に置き，手を添える。

動　作：

❶つま先で立つ。

❷右の踵を下ろし，左の膝を曲げる。

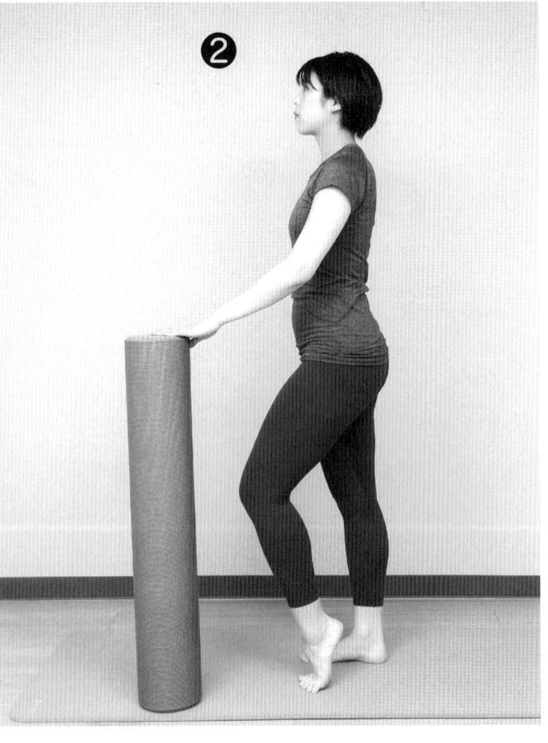

❸つま先で立つ。

❹左の踵を下ろし，右の膝を曲げる。

❶〜❹をリズミカルに繰り返す。

ポイント：
- つま先で立つ時に，1回ずつ体を持ち上げる。
- 最終的にはローラーの支持なしでもできるようにする。

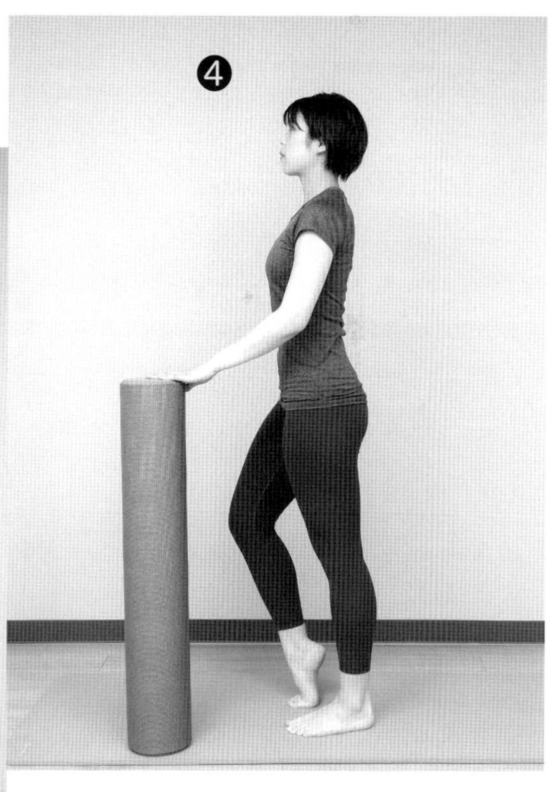

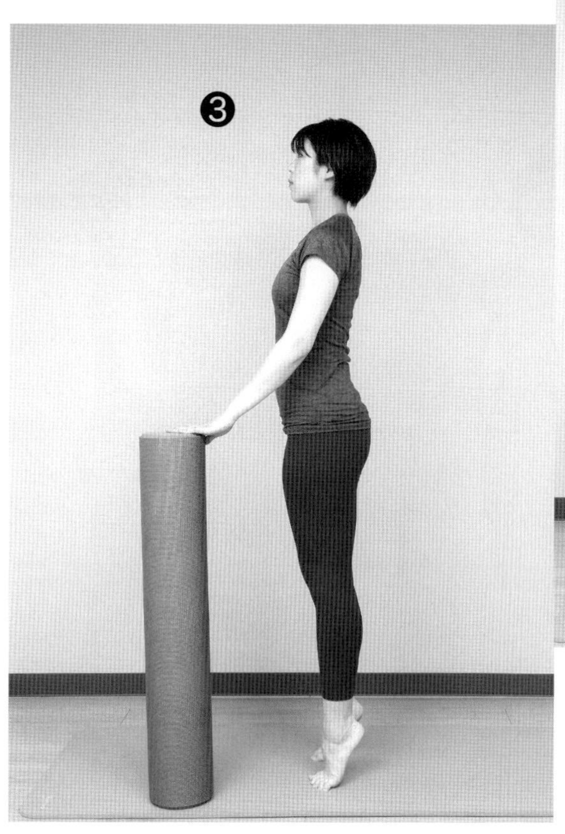

立位のエクササイズ8

スタンディング・フロッグ

目　的：正中化。腸腰筋の動きを促す。

ターゲットとなる筋肉：内転筋群，足の内在筋，腸腰筋，深層外旋六筋

注意点：
- アーチを落とさないようにする（足部の回外を維持する）。

開始肢位：両足の踵をつけ，つま先は拳1つ分あけて立つ*（通称「Vポジション**」）。

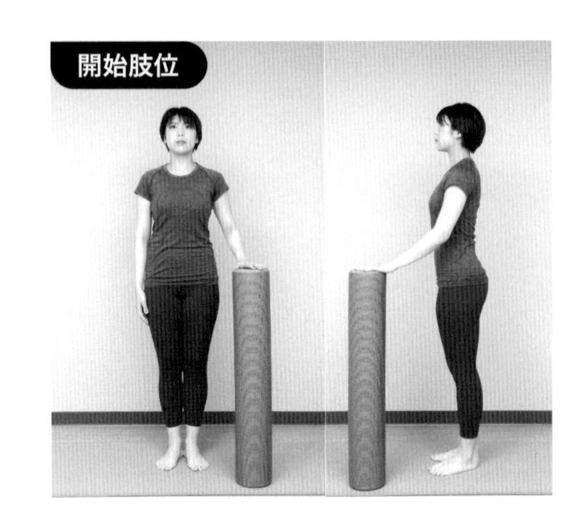

*前捻角が強い人は，つま先を開かなくてもよい。

**Vポジション

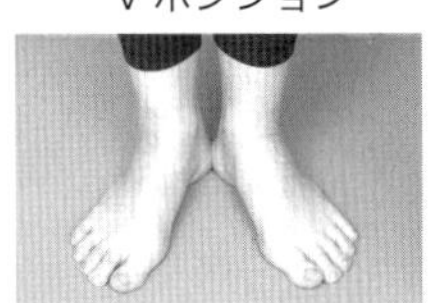

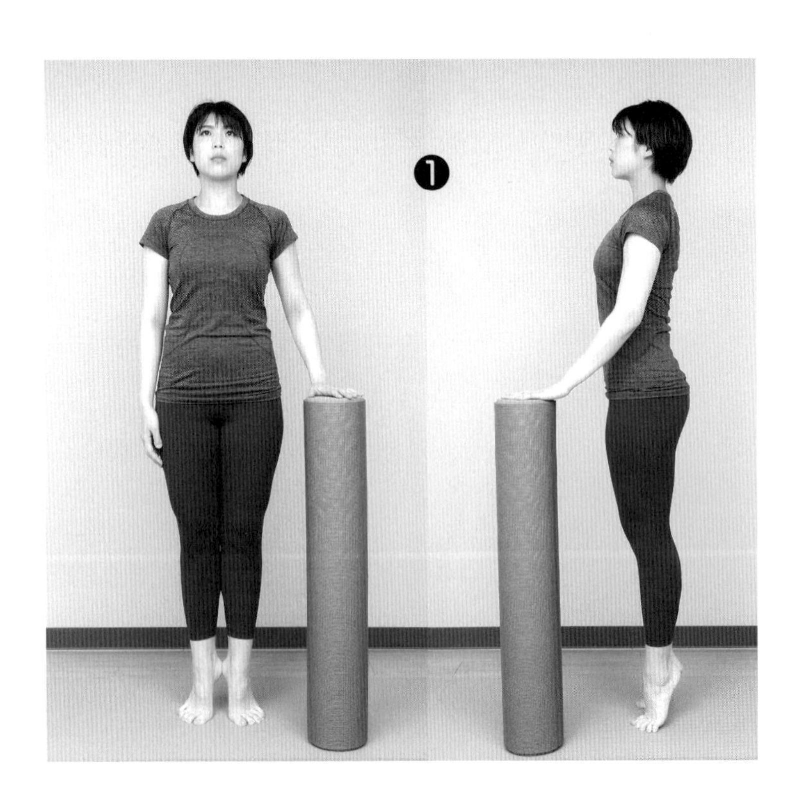

動　作：

❶つま先で立つ。

❷膝を曲げる。膝がつま先の方向に向かって開くようにする。

❸内腿をつけるようにして膝を伸ばす。

❷，❸を数回繰り返す。

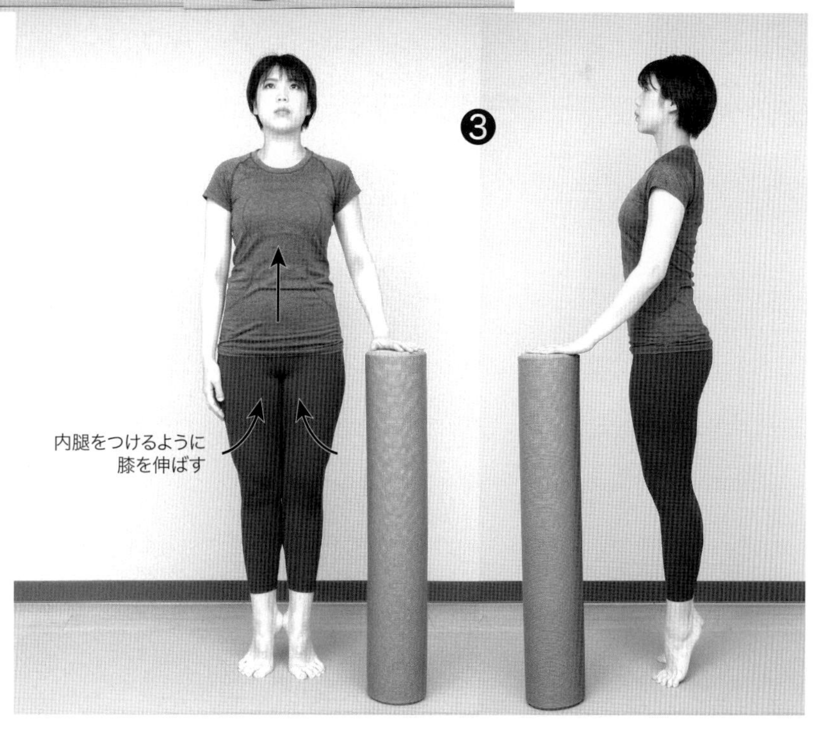

コラム 2

手は視野の範囲で動かす

手を動かす時の原則があります。それは，手は視野の範囲で動かすということです。手は目的の物をとったり，動かしたり，渡したりと，必ず視線とセットで用います。何かを相手にバレないように隠したい時など，視線は相手に固定して手だけ動かすということはありますが，そのようなことは稀です。FRP のエクササイズでも，視野から手または腕が外れる動きは，両手を後ろへ持っていく時など特別な場合を除いて，原則的には行いません。また，手を動かす場合は可能な限り手を追視します（下の例参照）。

体は目的動作に合わせて動きのパターンをつくっていますので，視線と手は同じユニットと考えてよいでしょう。原則から外れた動きは，多かれ少なかれ障害を惹起します。

例：視線を正面に向けたまま手だけを上に上げる動作（上段）と，視線を手に向けながら上げる動作（下段）
上段は肩甲骨が中心に寄ってしまい，首から肩にかけて緊張している。肩関節だけが動き，胸はあまり動いていない。下段は肩甲骨が中心から開いて背中が広く，胸から動きが起こっている。

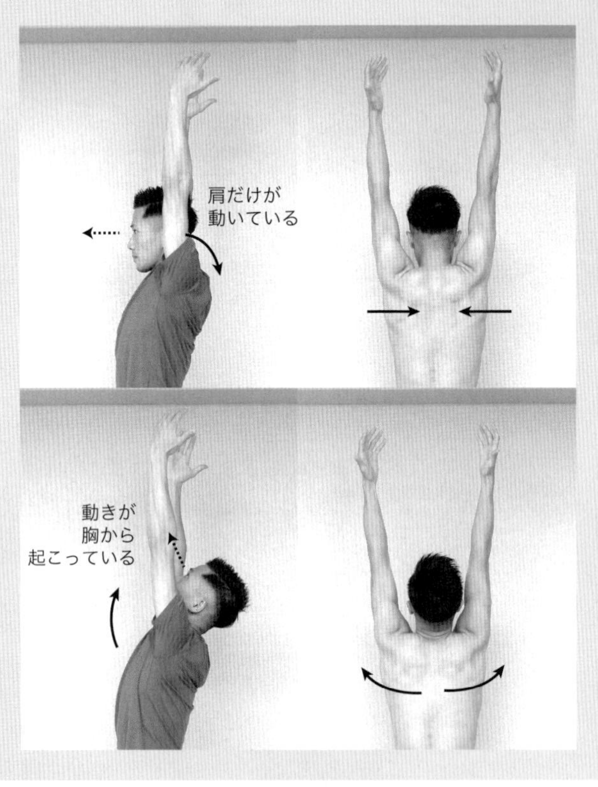

IV

ミドルレベルエクササイズ

臥位のエクササイズ 1

ベントニー・オープニング

目　的: 内転筋の動きを促す。骨盤の制御機能を向上させる。

ターゲットとなる筋肉： 内転筋群，腹斜筋，腸腰筋

注意点：
- 片脚を動かしている時は，もう一方の脚は極力動かさないように，膝を天井に向け保持する。

開始肢位： ローラーの上に背臥位（仰向け）に乗り，指で床を押さえる。片脚ずつ脚を持ち上げ，テーブルトップポジション（膝と股関節を 90° に曲げるポジション）にする。

動　作：

❶息を吸いながら両脚を開き，息を吐きながら閉じる。

❷息を吸いながら右脚を開き，息を吐きながら閉じる。

❸同じように，息を吸いながら左脚を開き，息を吐きながら閉じる。

バリエーション 1

❶基本動作の開始肢位から，膝の高さを左右揃えた状態で，片脚ずつ膝を伸ばす。

❷同じように，両方の膝を同時に伸ばす。

バリエーション 2

❶膝を伸ばした状態で，両脚を開く。

❷両脚を閉じる。

（強度を上げる）

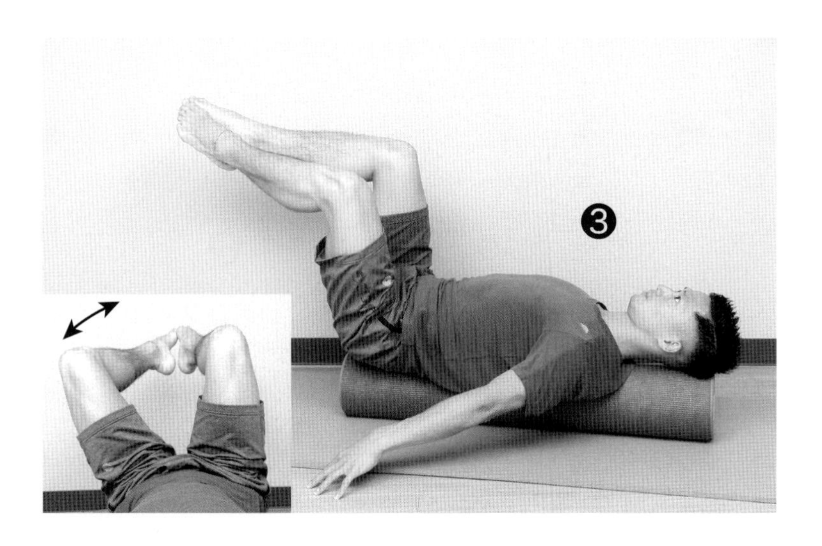

臥位のエクササイズ 2

フロッグ

目　的：内転筋群の動きを促す。腹部の安定性を向上させる。

ターゲットとなる筋肉：内転筋群，腹筋群，腸腰筋，深層外旋六筋

注意点：
- 脚の重さに負けて骨盤が前傾し，腰椎の前弯が過剰に強くならないように，腹部の安定化を意識する。

開始肢位：ローラーの上に背臥位になり，指で床を押さえる。両脚を曲げて持ち上げ，テーブルトップポジションにする。

開始肢位

動　作：

❶左右の踵をつけたまま，膝を開き，脚で菱形をつくる。

❷左右の内腿をつけるように膝を伸ばす。脚の高さは，踵の軌跡が一直線になり，骨盤をニュートラルに保持できるところとする*。

5 回繰り返す。

ポイント：
- 膝を伸ばす時（❷）に息を吐きながら行うと，腹部が安定しやすい。

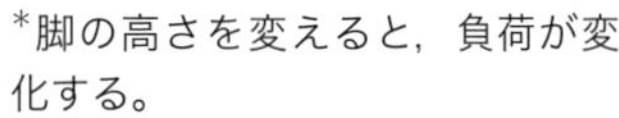
*脚の高さを変えると，負荷が変化する。

臥位のエクササイズ 3

ハンド・トゥ・トウ

目　的：腹斜筋の動きを促す。正中化およびバランス能力を向上させる。

ターゲットとなる筋肉：腹斜筋，腸腰筋，前鋸筋

注意点：
- 股関節だけで足を持ってこようとせずに，上半身も使うようにする。

開始肢位：ローラーの上に背臥位になり，指で床を押さえる。左脚を上げて膝を 90° に曲げ，右腕を床と垂直に上げる。

開始肢位

動　作：

❶右腕と左脚を，床と平行になるところまで下ろす。

❷上半身と左脚を同時に持ち上げ，右手を左足に触るように伸ばす。

5 回繰り返す。

❶を通って開始肢位に戻り，反対側でも同様に行う。

バリエーション

床につけていた手を離して行う。（難度を上げる）

臥位のエクササイズ４

クリスクロス（オンローラー）

目　的：腹斜筋の動きを促す。正中化およびバランス能力の向上。

ターゲットとなる筋肉：腹斜筋（特に外腹斜筋），腸腰筋，前鋸筋

注意点：
- エクササイズの間，首を縮めないように，長く保つようにする。

開始肢位：ローラーの上に背臥位に乗り，右手を後頭部に置く。左脚を上げ，テーブルトップポジションにする。左手はカップハンズで床に置く。

動　作：
上半身を持ち上げ，右肘を左膝に近づける。視線は左へ向ける。5 回繰り返す。

開始肢位に戻り，手と脚の左右を入れ替えて繰り返す。

ポイント：
- 上半身を持ち上げる時に息を吐きながら行うと，腹部の動きが促され，行いやすい。

バリエーション 1

床に置いていた手を離し，後頭部に置いて行う。
（強度を上げる）

バリエーション 2

❶両手を後頭部で組み，ローラーのエッジ（端）に座る。
❷上半身を少し後ろに傾け，背中を伸ばす。
❸上半身を右に捻る。
❹上半身を左に捻る。
（強度を下げる）

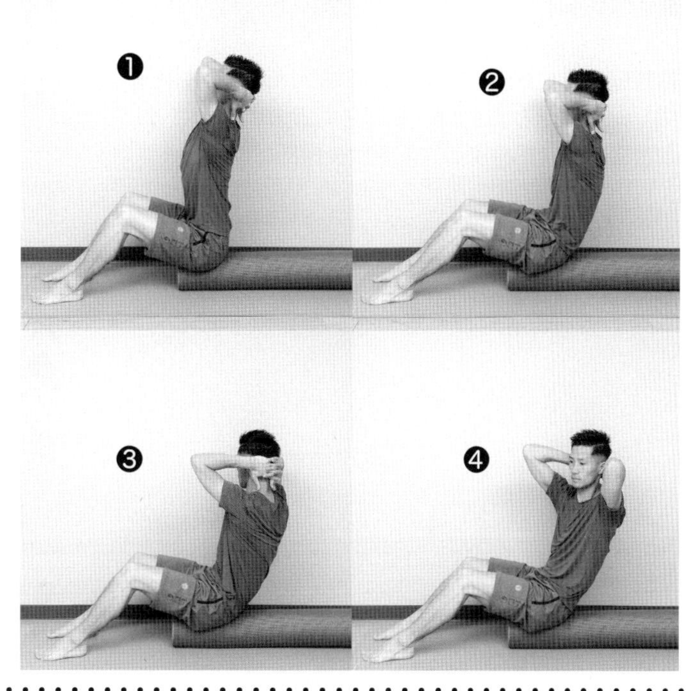

バリエーション 3

バリエーション 2 を脚を上げて行う。
❶捻った側の脚を上げる。
❷反対側でも繰り返す。

臥位のエクササイズ 5

クリスクロス（オンマット）

目　的：腹斜筋の動きを促す。

ターゲットとなる筋肉：腹斜筋（特に外腹斜筋），腸腰筋，前鋸筋

注意点：

- エクササイズの間，首を縮めないように，長く保つようにする。

開始肢位：マットの上に背臥位になり，テーブルトップポジションをとる。ローラーを両脚の間にはさみ，膝と土踏まずで把持する。両手は後頭部に置く。

動　作：

❶膝を右に，足を左に向ける。

❷上半身を持ち上げながら左に捻り，右肘を左膝に近づける。5回繰り返す。

❶を通って開始肢位に戻り，反対側で繰り返す。

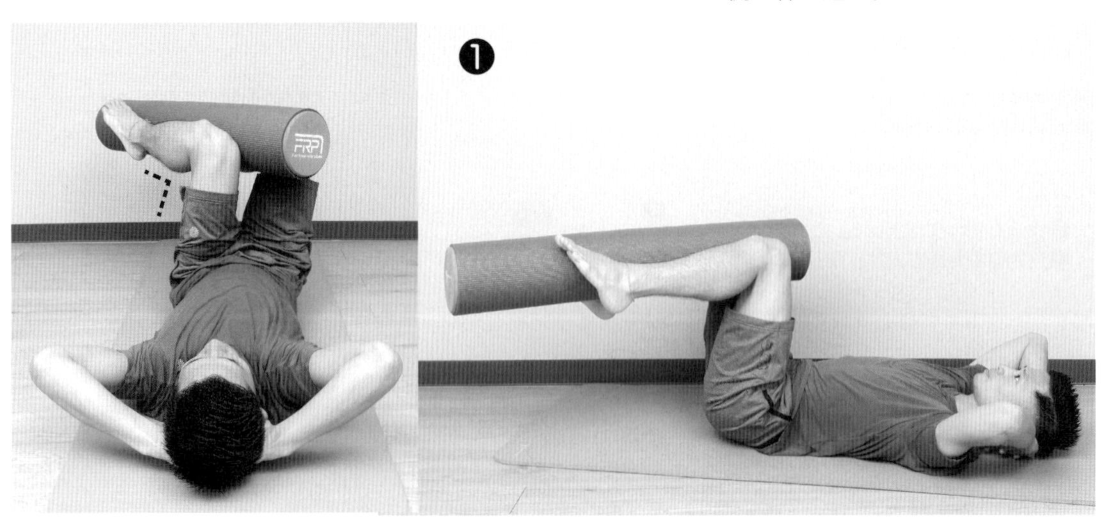

バリエーション

❶基本動作の❶から，上半身を持ち上げながら左に捻り，保持する。
❷殿部を床から浮かせて，膝を肘に近づける。
（内腹斜筋をターゲットとする）

ポイント：

- 上半身を持ち上げる時に息を吐きながら行うと，腹部の動きが促され，行いやすい。

臥位のエクササイズ６
ロールダウン・ロールアップ（オンローラー）

目　的：脊柱の分節的な屈曲を促す（胸椎からのＣカーブをつくる）。

ターゲットとなる筋肉：前鋸筋，腹斜筋，腹横筋，胸横筋，腸腰筋

注意点：
- 呼吸を止めると体も硬直してしまうため，呼吸を止めないようにしながら，呼吸に合わせて行う。
- 首が縮まらないように，首の前には拳１つ分のスペースを空けておく。

開始肢位：ローラーのエッジに座る。手を肩の高さに上げ，頭頂から背すじを伸ばす。

動　作：

❶指先を引っ張られているような意識で腕を伸ばし，背中を開く。息を吐きながら，上体を後ろに傾けていく。

❷背骨を１つずつローラーにつけていく（ロールダウン）。

❸ローラーの上に頭をつけ，背臥位になる。

一度息を吸い，吐きながら上体を起こしていく。❷→❶を通り，開始肢位に戻る（ロールアップ）。

ポイント：
- １呼吸で動けない場合は，途中で動きを止めて息を吸い，吐きながら再び動き出す。このエクササイズでは，基本的に息を吐きながら動くようにする。

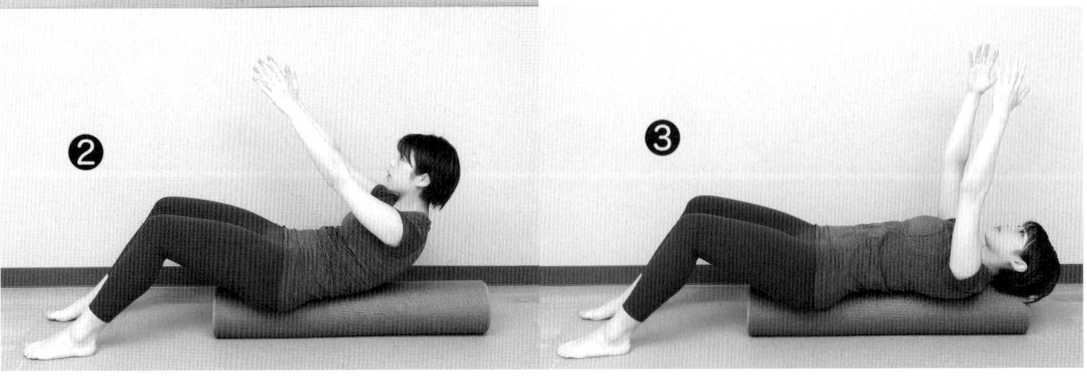

バリエーション 1

手を上げて行う。
（強度を上げる）

バリエーション 2

手を後頭部に置いて行う。
（強度を上げる）

バリエーション 3

手を膝下に置き行う。
（強度を下げる）

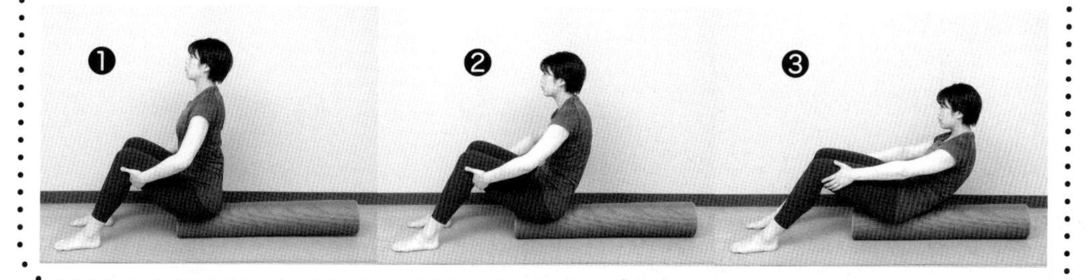

臥位のエクササイズ 7
ロールダウン・ロールアップ（オンマット）

目　的：脊柱の分節的な屈曲を促す（胸椎からのCカーブをつくる）。

ターゲットとなる筋肉：前鋸筋，腹斜筋，腹横筋，胸横筋，腸腰筋

注意点：
- 呼吸を止めると体も硬直してしまうため，呼吸を止めないようにしながら，呼吸に合わせて行う。
- 首が縮まらないように，首の前には拳1つ分のスペースを空けておく。

開始肢位：マットの上に長座位になり，両腕を前に伸ばし，ローラーを把持する。

動　作：

❶指先を引っ張られているような意識で腕を伸ばし，背中を開く。息を吐きながら，上体を後ろに傾けていく。

❷背骨を1つずつマットにつけていく（ロールダウン）。

❸マットに頭をつけ，そのまま両腕を頭上に上げていき，視野の範囲内ぎりぎりまで腕を伸ばす。

一度息を吸い，吐きながら上体を起こしていく。❷→❶を通り，開始肢位に戻る（ロールアップ）。

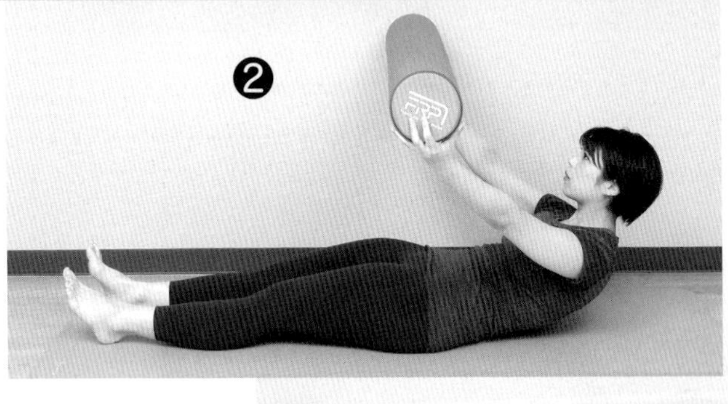

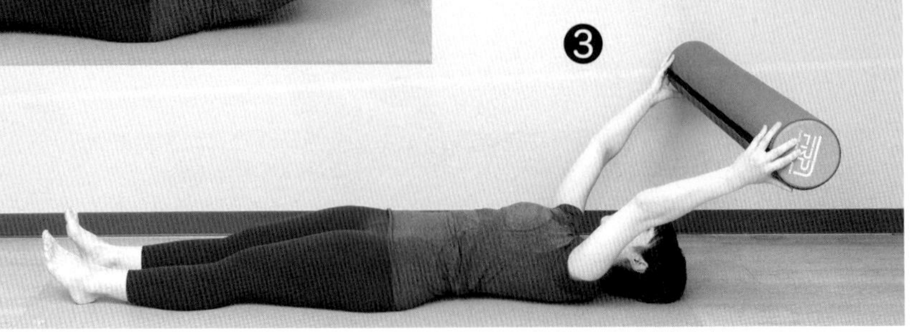

バリエーション１

スパインストレッチ
腹部を引き上げたまま，両腕をさらに前に伸ばし，背中を開く。
（背中の伸びを強調する）

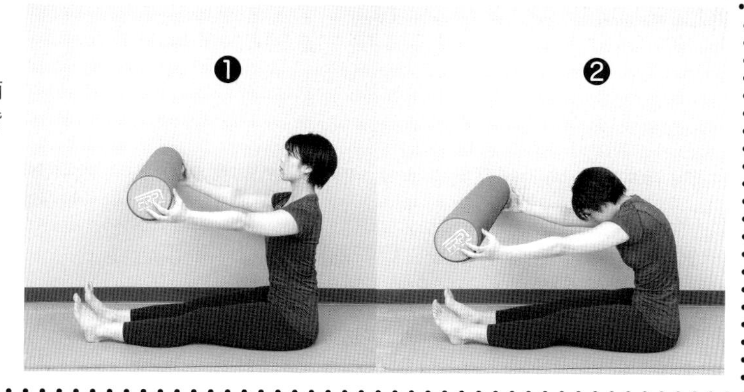

バリエーション２

❶～❺上半身を左に捻りながら後方に倒していき，左半身だけを少しずつマットにつけていく。
❻最終的には背中全体をマットにつけ，背臥位になる。頭がついたら，腕を視野の範囲ぎりぎりまで伸ばす。
上半身を右に捻りながら，少しずつ起こしていく。

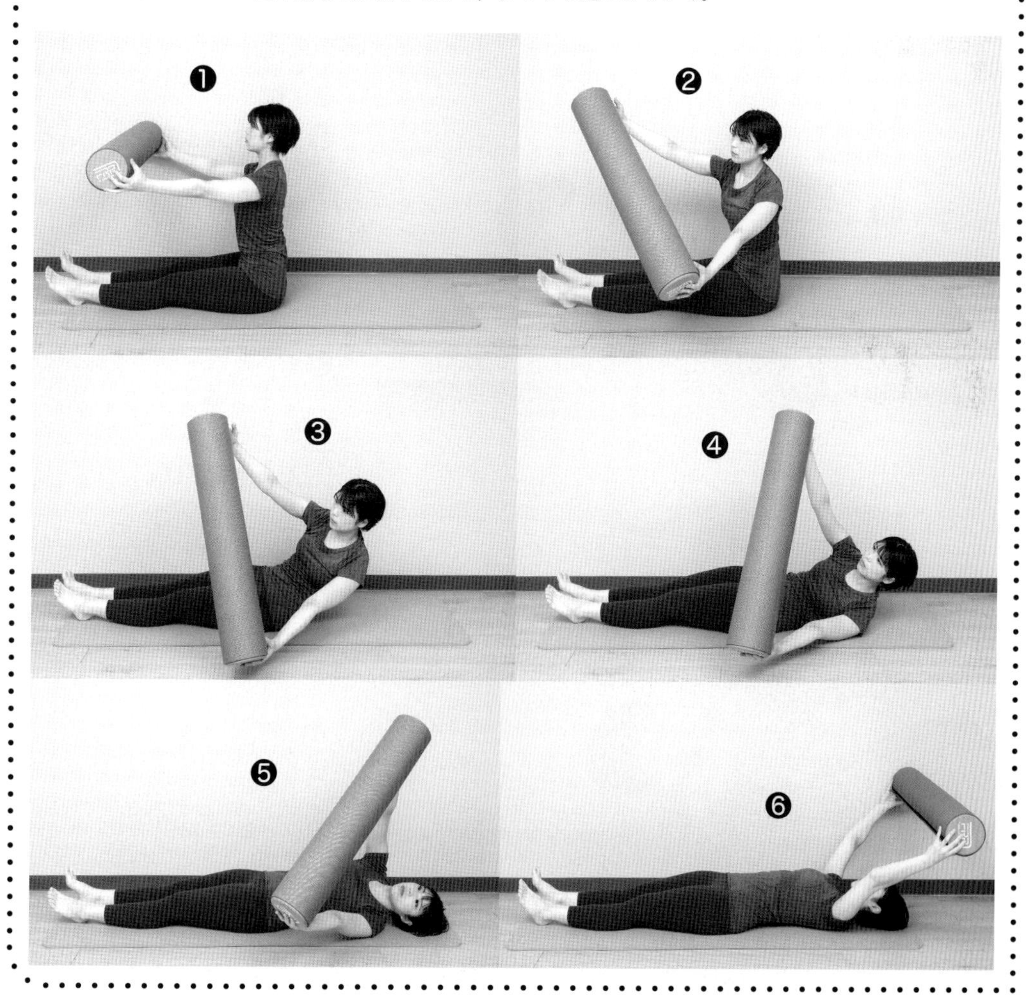

臥位のエクササイズ８

オートメカニック

目　的: 脊柱の分節的な屈曲を促す。腹筋群の動きを促す。

ターゲットとなる筋肉: 前鋸筋，腹斜筋，腹横筋，胸横筋，腸腰筋

注意点：

- 呼吸を止めると体も硬直してしまうため，呼吸を止めないようにしながら，呼吸に合わせて行う。
- 首が縮まらないように，首の前には拳１つ分のスペースを空けておく。

開始肢位： ローラーの上に座り，両腕を肩の高さに上げ伸ばすことで，背中を引き上げる。

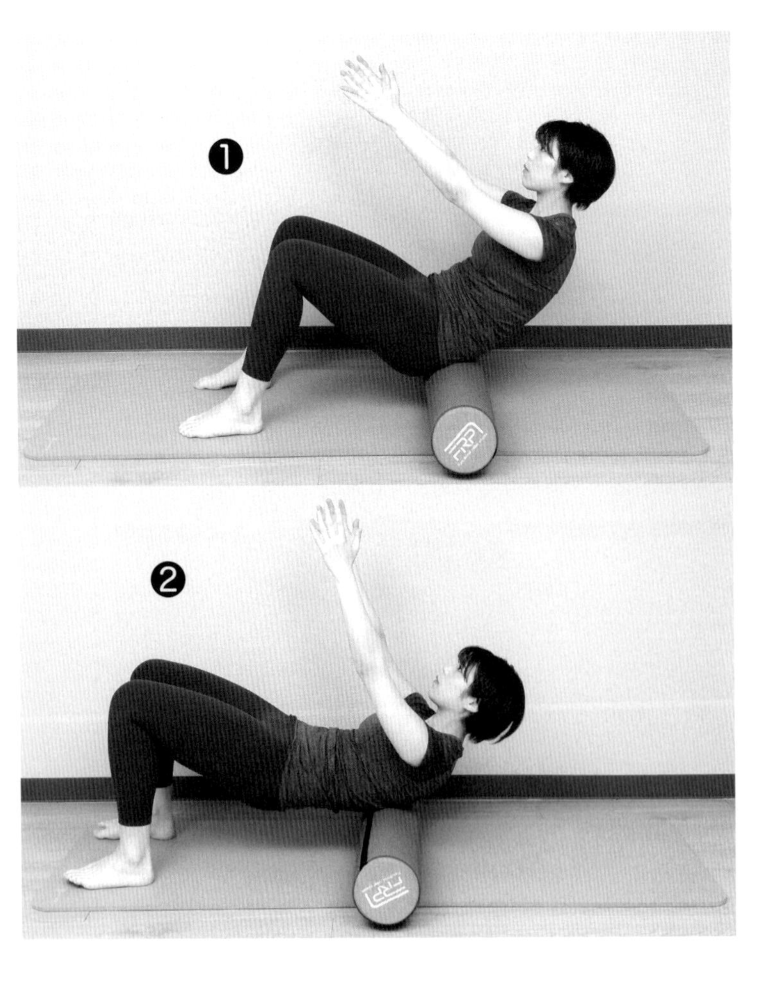

動　作：

❶指先を引っ張られているような意識で両腕を伸ばし，背中を開く。同時に，骨盤を傾け，上体を後ろへ倒していく。

❷歩いてローラーを転がしながら，みぞおちの後ろにローラーがあたるところまで上体を下げる。

同じようにローラーを転がしながら上体を起こしていき，開始肢位に戻る。

バリエーション 1

基本動作の❷から，手をさらに上に上げる。
（強度を上げる）

バリエーション 2

片脚を上げて行う。
（難度を上げる）

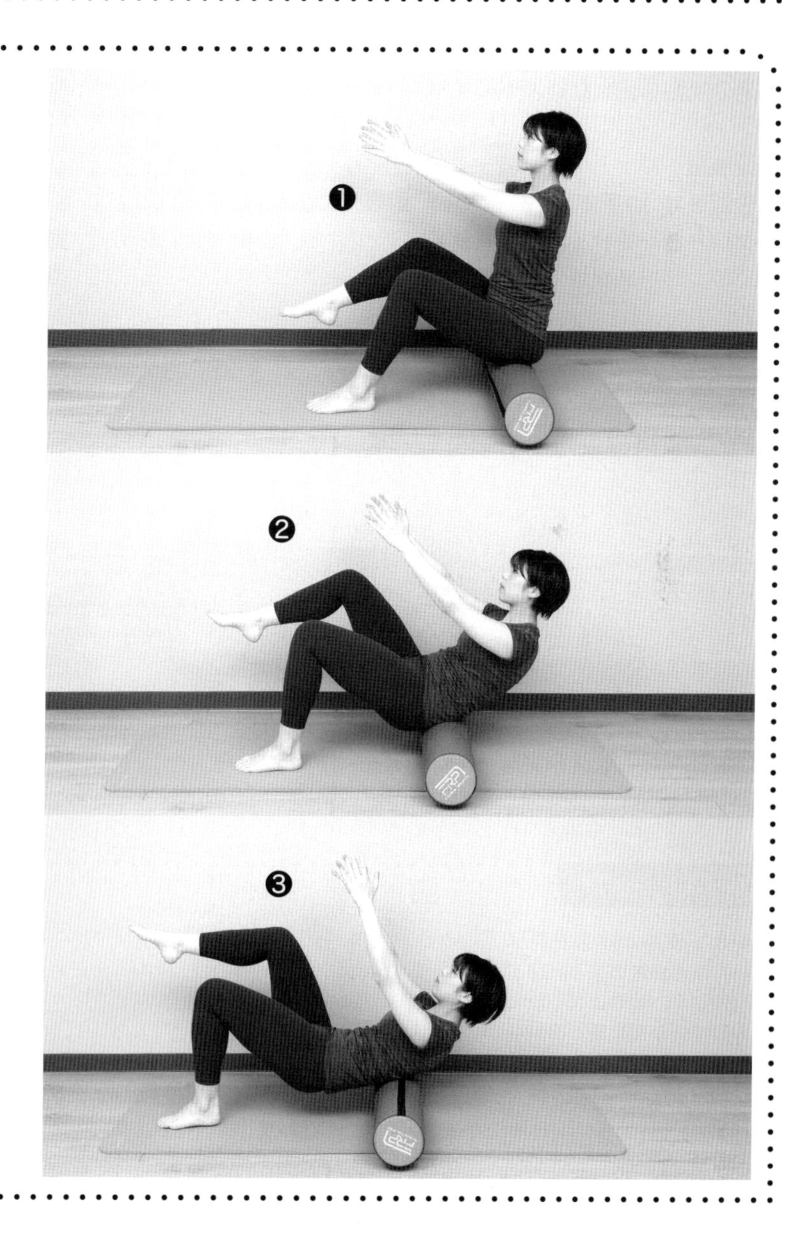

臥位のエクササイズ９

ローリング・ライクアボール

目　的：前面筋の動きを促す。後面筋を伸張する。脊柱のＣカーブをつくる。

ターゲットとなる筋肉：腹斜筋，腹横筋，胸横筋，前鋸筋，腸腰筋，ハムストリング

注意点：
- 足と腹部の距離を変えないように行う。
- 足の反動を使わないようにする。

開始肢位：マットの上に膝を立てて座り，膝の下にローラーを位置させ，両手で下から押える。肘を外に張り背中を開く。膝でローラーを挟み，大腿を腹部に近づけて「Ｃカーブ」をつくり，足を床から浮かせる。

動　作：
後方に転がり，起き上がる。

５回繰り返す。

バリエーション

拳から親指と小指を伸ばし，頬と膝にあてる。後方へ転がり，起き上がる時に頬と膝にあてた指が離れないようにすることで，足と腹部の距離を保つことができる。
（強度を上げる）

コラム 3

大殿筋は極力締めない

お尻の筋肉である大殿筋の基本的な働きは，歩行中の着地時の衝撃吸収です。着地して荷重する時に，股関節は屈曲・内転・内旋するので，効率よくこの動きを吸収するために，大殿筋が遠心性収縮（長い状態の筋収縮）します。大殿筋は，求心性収縮（短くなる筋収縮）する時には，股関節の伸筋であるとともに外転・外旋筋でもありますが，遠心性収縮が基本ですので，短縮位（股関節伸展位）での動きを促すことは機能的ではありません。また，股関節伸展位で大殿筋の収縮を促すと，骨盤の動きに影響が強く出るため，体幹の安定化に不利となります。

このようなことから，FRP のエクササイズの中で股関節を伸展する場合は，極力大殿筋ではなくハムストリングを使うよう意識します。

例：脚を床と平行に持ち上げた状態

お尻を締めると，脚が外に開き，つま先が外を向く（左）。脚をまっすぐにし，遠くに伸ばすと，大殿筋は弛緩する（右）。

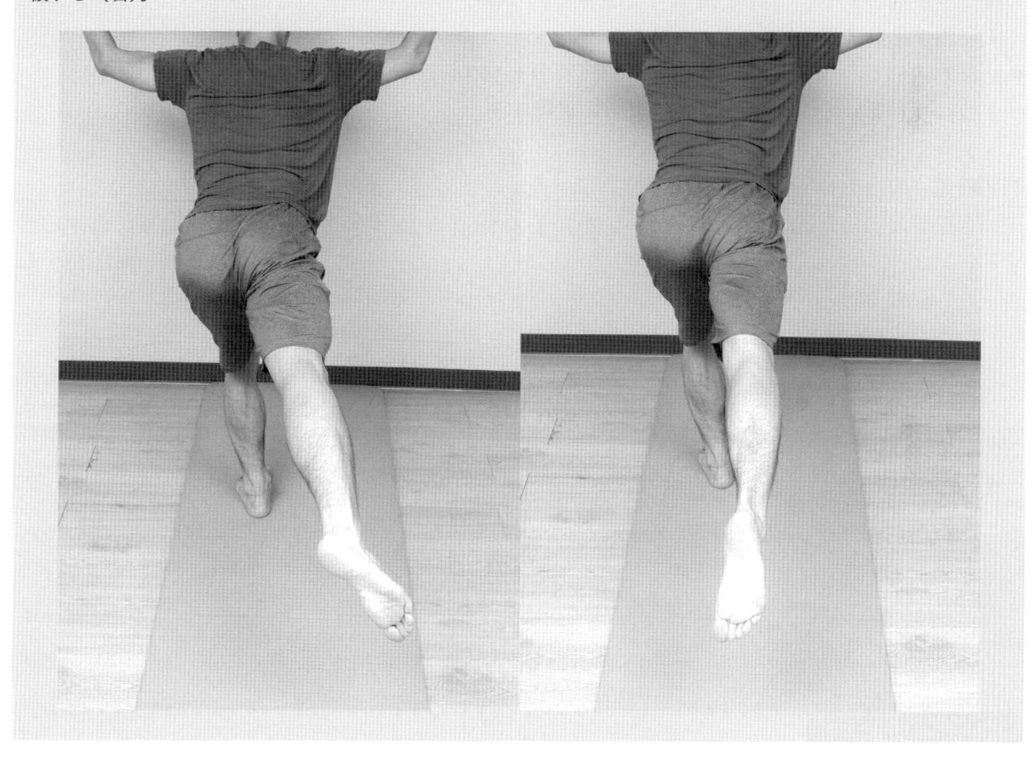

臥位のエクササイズ 10

ブリッジ

目　的：後面筋の動きと体幹の伸長を促す。

ターゲットとなる筋肉：ハムストリング，内転筋群，脊柱起立筋，多裂筋，腹斜筋

注意点：

- 大殿筋を使いすぎると膝が開いてしまうため，ハムストリングを主に使うよう意識する。
- 背筋を使いすぎると腰や胸が反りすぎる。腰や胸が反りすぎないように，膝と頭頂で引っ張り合うように意識する。
- 殿部を上げたり下ろしたりする際には，背骨を塊のように使わず，1つひとつ動かすように意識する。

開始肢位：マットの上に背臥位になり，ローラーの上に両足を乗せる。土踏まずがローラーにあたるようにする。

動　作：
息を吐きながら，両膝を肩から遠くに押し出すように，殿部を少しずつ持ち上げる。

息を吸い，吐きながら，また殿部を少しずつマットに下ろしていく。

5回繰り返す。

バリエーション1

❶基本動作で殿部を持ち上げたら，片側の脚を天井の方向に垂直に伸ばす。
❷伸ばした脚を支持側の脚の大腿と同じ高さまで下げる。
5回繰り返す。
基本動作に戻り，反対側でも繰り返す。

バリエーション 2

手を離してバリエーション 1 を行う。
（強度，バランス課題を上げる）

バリエーション 3

片脚で行う。
❶片足をローラーに乗せ，もう一方の脚を天井の方に伸ばす。
❷膝を押し出すように殿部を持ち上げる。
（強度を上げる）

バリエーション 4

つま先立ちで行う。
❶ローラーの上に両足のつま先を乗せる。
❷膝を押し出すように殿部を持ち上げる。
（強度を上げる）

バリエーション 5

バリエーション 1 をつま先立ちで行う。
❶バリエーション 4 の❷から，さらに片脚を天井の方へ伸ばす。
❷伸ばした脚を支持側の脚の大腿と同じ高さまで下げる。

臥位のエクササイズ 11

ロング・ブリッジ

目　的：後面筋の動きと，股関節伸展を促す。

ターゲットとなる筋肉：ハムストリング，大殿筋，脊柱起立筋，広背筋

注意点：
- 腰や胸を反りすぎないように，つま先と頭頂で引っ張り合うイメージで行う。
- 足首を背屈し，反張膝（膝の過剰な伸展）を予防する。

開始肢位：マットの上に背臥位になり，アキレス腱の部分があたるように，両脚をローラーに乗せる。

開始肢位

動　作：
息を吐きながら，踵を遠くに押し出すように，殿部を少しずつ持ち上げる。軸の伸長を意識し，背骨を１つひとつ動かすようにする。

息を吸い，吐きながら，また殿部を少しずつマットに下ろしていく。

５回繰り返す。

バリエーション１

基本動作から，さらに片方の脚を天井の方向に上げる。（強度を上げる）

バリエーション２

手を離して片脚を上げる。（強度を上げる）

バリエーション３

ローラーを転がす。
❶基本動作と同様に，殿部を持ち上げる。
❷両足でローラーを殿部の方向に引き寄せるように転がす。
❶，❷を５回繰り返す。
（強度を上げる）

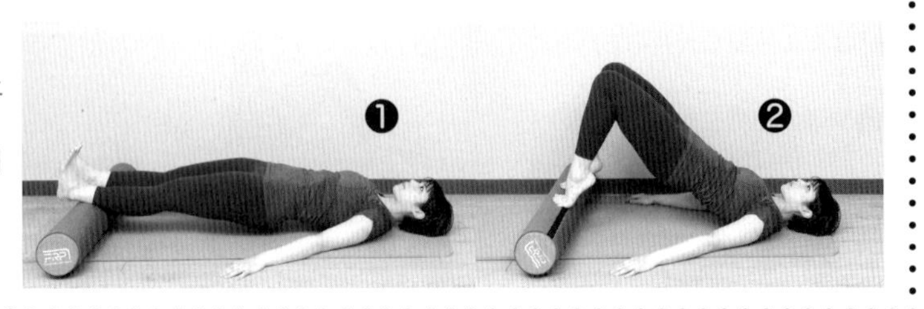

臥位のエクササイズ 12

シザース

目　的：正中化を促す。骨盤の安定性を向上させる。股関節の分離運動を促す。

ターゲットとなる筋肉：内転筋群，腸腰筋，腹斜筋，ハムストリング

注意点：
- 骨盤が脚の重さに引っ張られて前傾しないように，腹部を引き込み，骨盤をやや後傾させた状態で安定性を保持する。
- 両脚が左右に開かないように注意する。

開始肢位：マットの上に背臥位になり，両脚を伸ばしたまま上に持ち上げ，ローラーを仙骨にあたるように位置させて，両手で持つ。

開始肢位

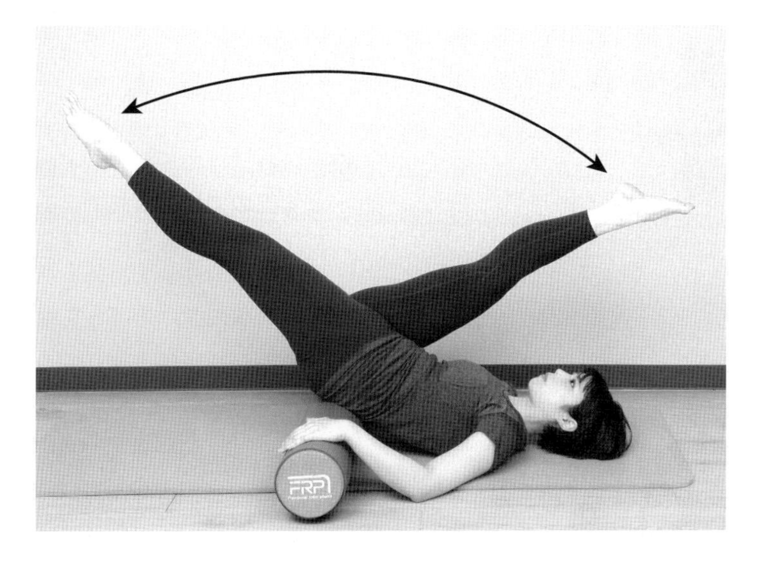

動　作：
右脚を手前に，左脚を遠くに伸ばす。

左右の脚を入れ替える。

10 回繰り返す。

バリエーション

前にある脚の足首のあたりを両手で持ち，手前に引き寄せる。脚は，手に軽く抵抗して，遠くに伸ばそうとする。このようにすることで，安定性と「タメ」をつくる。手を離すと同時に左右の脚をリズムよく入れ替える。10 回繰り返す。

臥位のエクササイズ 13

バイシクル

目　的：股関節の柔軟性および協調性を向上させる。

ターゲットとなる筋肉：腸腰筋，ハムストリング，内転筋群，腹斜筋，腹横筋

注意点：
- 骨盤が脚の重さに引っ張られて前傾しないように，腹部を引き込み，骨盤をやや後傾させた状態で安定性を保持する。

開始肢位：マットの上に背臥位になり，ローラーを仙骨にあたるように位置させて，両手で持つ。両膝を曲げ，大腿を腹部に近づける。

開始肢位

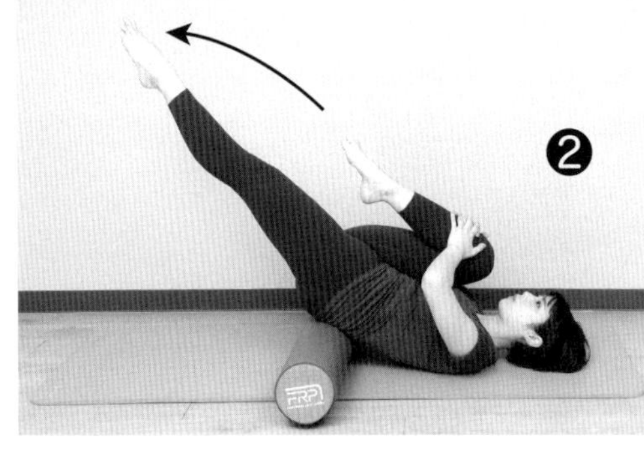

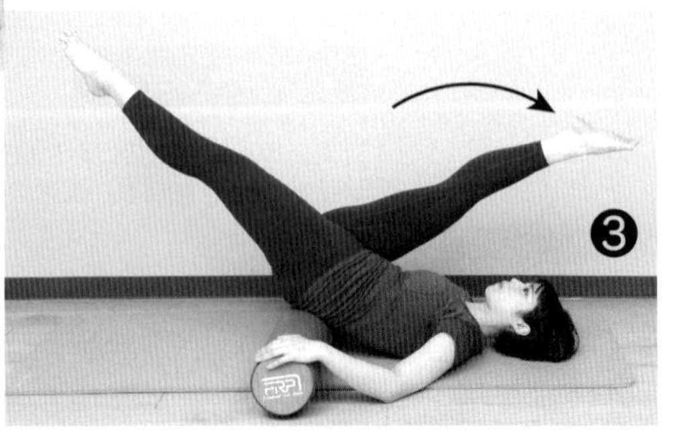

準備動作：

❶両手を使って両脚を腹部に引き寄せる。

❷片脚（写真では左）を伸ばして，鼡径部を開く。

❸手をローラーに置き，大腿と腹部の間の距離をできるだけ変えないようにしながら，引き寄せた側の膝を伸ばす。膝の曲げ伸ばしを繰り返す。

反対側でも同じように行い，開始肢位に戻る。

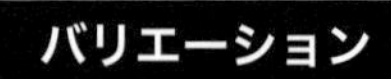

バリエーション

❾→❹の順番に反対の方向に行う。

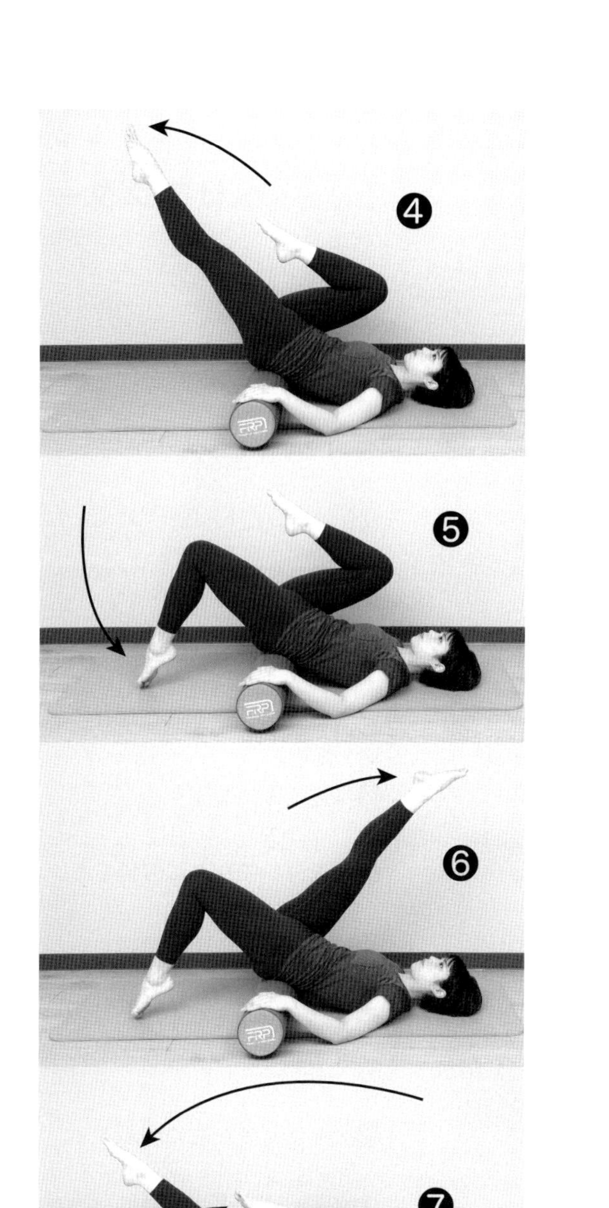

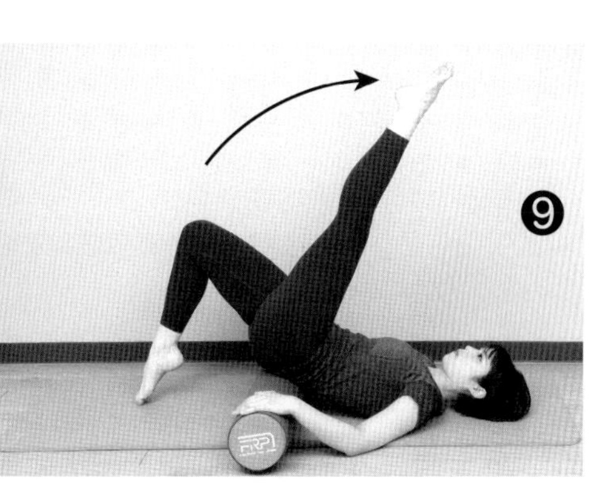

動　作：

❹右脚を引き込んだまま，左脚を遠くに伸ばし，鼡径部を開く。

❺左膝を曲げて，つま先をマットにつける。

❻左足はそのままに，右膝を伸ばす。

❼円を描くように左膝を引き寄せると同時に，右脚を遠くに伸ばし鼡径部を開く。

❽右脚を曲げて，つま先をマットにつける。

❾右足はそのままに，左膝を伸ばす。

❹〜❾を，自転車を漕ぐようにリズミカルに繰り返す。

臥位のエクササイズ 14

ヘリコプター

目　的：股関節の柔軟性の向上および正中化。

ターゲットとなる筋肉：内転筋群，腸腰筋，腹斜筋，腹横筋

注意点：

- 骨盤が脚の重さに引っ張られて前傾しないように，腹部を引き込み，骨盤をやや後傾させた状態で安定性を保持する。

開始肢位：マットの上に背臥位になり，両脚を上に持ち上げ，ローラーを仙骨にあたるように位置させて両手で持つ。

動　作：

❶脚を前後に開脚する。

❷脚を回して左右に開脚する。

❸❶と反対に前後に開脚する。

❹脚をリズミカルに２回入れ替える。

❺脚を回して左右に開脚する。

リズミカルに５～10回繰り返す。

❸
❹
❺

臥位のエクササイズ 15

スワン

目　的：背筋群の動きを促す。腹部の安定性を向上させる。

ターゲットとなる筋肉：背筋群，腹筋群，前鋸筋，ハムストリング

注意点：
- 腰を反りすぎないように腹部を引き上げる。腰ではなく胸を反るように意識して行う。

開始肢位：マットの上に腹臥位（うつ伏せ）になり，ローラーに肘と手首の間を乗せる。足は，左右の親指どうしをつけるように，中心に寄せる。

動　作：
❶❷気持ちよく反れる範囲でローラーを引き込み，上体を起こす。恥骨で床を押すように腹部を引き上げる。

バリエーション 1

片手をローラーから離す。

❶基本動作の❷から，体を伸ばしながら片手をローラーから離し，頭上に上げる。視線は手の先に向ける。

❷上げた手を下ろし，反対側の手を上げる。

（強度を上げる）

バリエーション 2

ローラーを転がす。

基本動作の❷から，上体の高さをそのまま保ちながら，肘を引き，ローラーを手前に転がす。手首を反らないように指先まで力を入れる。

5 回繰り返す。

（強度を上げる）

臥位のエクササイズ 16

シングルレッグ・キック

目　的：大腿四頭筋の抑制（ハムストリングによる相反神経抑制）。

ターゲットとなる筋肉：ハムストリング，大内転筋

注意点：
- 腰が反りすぎないように，腹部を引き上げ骨盤の前傾を止める。
- 肩がすくまないように注意する*。
- 股関節に伸展制限がある場合は，このエクササイズを行ってはならない。

開始肢位：マットの上に腹臥位になり，ローラーの上に両足を置き，脛の下にローラーを位置させる。両手を重ねて床の上に置き，その上に額を乗せる。

*肩がすくまないように注意する。

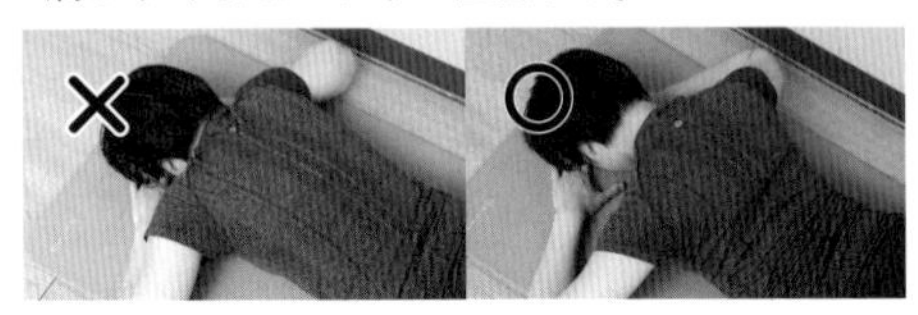

動　作：

❶両脚を伸ばして股関節を伸展させる。恥骨で床を押すようにして腹部を引き上げる。この時，大殿筋ではなく，内腹斜筋を使うように意識する。

❷大腿を浮かせたまま，右膝をリズミカルに 2 回曲げ，踵を殿部に近づけるようにする。

❸脚を浮かせたまま，遠くへ伸ばす。

左右交互に 3 ～ 5 回行う。

バリエーション

❷の状態で 10 秒保持して，相反神経抑制**を働かせる。

**相反神経抑制：主動筋と拮抗筋の関係によって，一方を働かせるともう一方は反射的に筋緊張が抑制されるという仕組み。

臥位のエクササイズ 17

スイミング

目　的：後面筋，腹筋の動きを促す。

ターゲットとなる筋肉：内転筋群，ハムストリング，脊柱起立筋，前鋸筋

注意点：

- 腰が反りすぎないように，腹部を引き上げ骨盤の前傾を止める。
- 胸椎の伸展可動域が低下している場合は，腰椎で代償する恐れがあるため，腕は上げずに行う。

開始肢位：マットの上に腹臥位になり，両腕を頭の先に伸ばす。脚を遠くに伸ばし，ローラーを内腿ではさむ。

動　作：

❶手で床を軽く押しながら上体を起こす。頭頂を伸ばすイメージで胸を開く。脚を遠くへ伸ばしながら床から浮かす。

❷腕も遠くに伸ばすように意識しながら，床から浮かす。

❸❹腕でバタ足をするように，左右の腕を上下に動かす。

余裕があれば，脚でも手と同じようにバタ足をする。

臥位のエクササイズ 18

サイド・トゥ・サイド

目　的:脊柱を捻る運動を促す。体幹部を安定させる。

ターゲットとなる筋肉:上･下後鋸筋, 腹斜筋, 菱形筋, 内転筋群

注意点：

- 捻った側と反対側（床についている側）の肩甲骨が床から離れないように意識する。
- 左右の膝の位置がずれないように，できるだけ同じ位置を保持するように意識する。

開始肢位:マットの上に背臥位になり，テーブルトップポジションでローラーを膝と足ではさむ。両腕は肩よりも若干下の位置に開いて床に置き，肩甲骨を床につける。

動　作：

❶下半身を左に倒す。この時に右肩甲骨は床につけておく。

❷開始肢位に戻り，同じように下半身を右に倒す。

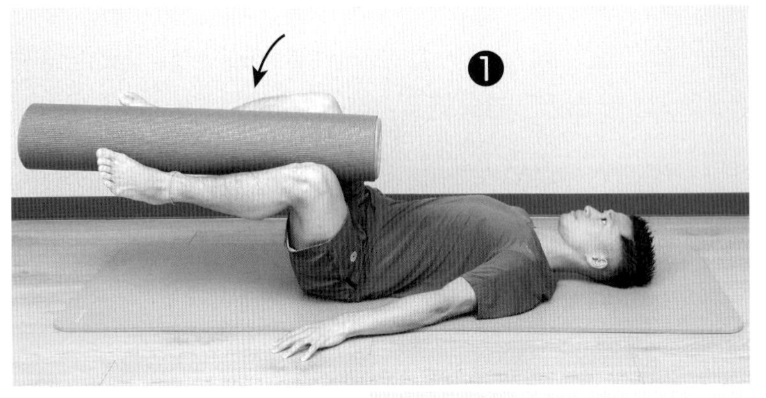

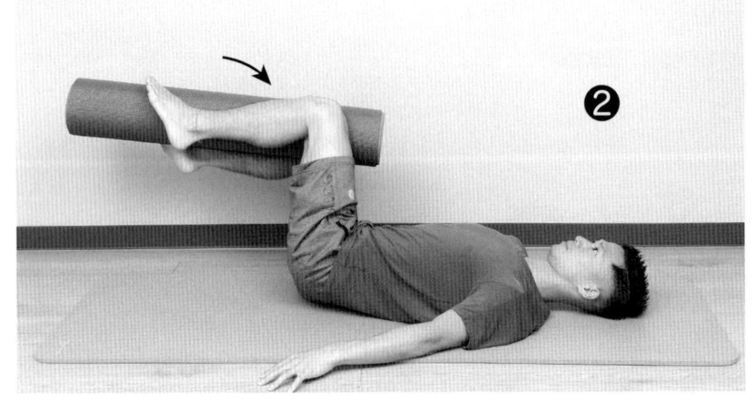

バリエーション

オンローラー（不安定性を増す*）

❶ローラーの上に背臥位になり，両手を合わせて天井の方向に上げる。左右の膝を中心で合わせる。
❷両手を合わせたまま右に傾ける。
❸❶に戻り，両手を左に傾ける。
＊膝はできるだけ倒さないように，正中位を保持する。
＊腕だけで動かさないように，合わせている左右の指先がスライドしないよう注意する。

*両足をつけていることで不安定すぎる場合には，足幅を広げることで安定性を調節して行う。

四つ這い位のエクササイズ 1
オールフォアーズ（ハンズオンローラー）

目　的：体幹の安定化，バランス能力の向上。

ターゲットとなる筋肉：前鋸筋，腹斜筋，ハムストリング，脊柱起立筋

注意点：
- 体重を左右に移動させず，正中位のまま行うようにする。
- 腰を反りすぎないように，腹部を引き込み，常に頭頂を伸ばすように意識する。
- 手首を反りすぎないように，手を置く位置に注意する。
- 手関節の背屈制限がある場合は，行ってはならない。

開始肢位：マットの上に膝立ちになり，ローラーの上に両手を乗せ，肩の下に手首を位置させる。頭頂と坐骨で引っ張り合うようイメージし，体の長さを意識する。膝は股関節の下に位置させる。

開始肢位

❶

❷

動　作：

❶右腕を床と平行に上げ，伸ばす。

❷対角線にあたる左脚を伸ばす。なれないうちは，つま先を床につけたまま，脚を伸ばすようにする。脚を上げようとする意識が強いと，腰が反ってしまうため，伸ばすことを優先する。

反対側でも同様に行う。

バリエーション 1

基本動作の開始肢位から，右手でローラーを押し，左腕を天井の方に伸ばす。視線は手を追いかける。反対側でも同様に行う。
（回旋筋の動きを促す）

手をローラーの中央に寄せて置くと，捻りが強くなる。
（下段）

バリエーション 2

ニーズオンローラー

❶ローラーの上に膝を乗せ四つ這いになる。股関節の下に膝を位置させる。頭頂と坐骨を引き伸ばすようイメージする。

❷右腕を床と平行に上げ，伸ばす。

❸対角線にあたる左脚を床と平行に上げ，伸ばしてバランスをとる。支持している側の肘を過伸展しないように注意する。

反対側でも同様に行う。
（強度と難度を上げる）

脚だけを持ち上げる方法もある。

四つ這い位のエクササイズ２
レッグプル・フロント（ホリゾンタル）

目　的：体幹の安定化。前面筋の動きを促す。

ターゲットとなる筋肉：前鋸筋，腹斜筋，腹横筋，腸腰筋，腹直筋

注意点：
- 脊柱の生理的弯曲を保持する。
- 肩甲骨が内転したり，浮いてこないよう，外転・下制を意識する。
- 手首を反りすぎないように，手を置く位置に注意する。
- 手関節の背屈制限がある場合は，行ってはならない。

開始肢位：ローラーを横に置き，両手を乗せる*。上体を床と平行にし，頭頂と坐骨で引っぱり合うようイメージする。鼡径部を引き込み，腰の前弯を保持する。足はつま先立ちにする。

開始肢位

*手をローラーの両端に位置させる方法もある。

動　作：

❶片脚（写真は左）を床と平行に上げ，伸ばす。

３～５秒保ち，開始肢位に戻る。

❷反対側でも同様に行う。

バリエーション 1

基本動作の開始肢位から片側の膝を曲げ，同じ側の肩にできるだけ近づける。
こうすることで，股関節の屈曲と前面筋の動きを促す。
（強度を上げる）

バリエーション 2

エルボウオンローラー（手関節に問題がある場合の修正法）
❶両肘をローラーに乗せる。
❷片側の膝を曲げ，同じ側の肩にできるだけ近づける。

バリエーション 3

❶片脚を上げた状態で保持する。
❷上げた脚を軽く振り上げて体を浮かし，着地する。リズミカルに繰り返す。

四つ這い位のエクササイズ３
レッグプル・フロント（ヴァーティカル）

目　的：体幹の安定化，バランス能力の向上，正中化。

ターゲットとなる筋肉：前鋸筋，大胸筋，腹筋群，腸腰筋，ハムストリング

注意点：
- 脊柱の生理的弯曲を保持する。
- 手首を反りすぎないように，手を置く位置に注意する。
- 手関節の背屈制限がある場合は，行ってはならない。

開始肢位：ローラーを縦に置き，両膝ではさむようにして膝立ちになり，その上に両手を乗せる。

動　作：

❶両膝を伸ばす。

❷右脚を床と平行に上げ，伸ばす。

３～５秒保ち，❶に戻る。

❸反対側でも同様に行う。

四つ這い位のエクササイズ４

ニーリング・キャット

目　的：脊柱の分節的な動きを促す。正中化。

ターゲットとなる筋肉：前鋸筋，腹斜筋，腹横筋，内転筋群，骨盤底筋

注意点：
- 頭を腕よりも下に落とすと肩に負担がかかるため，視線は必ず手に向け，顔は上げた位置で行う。

開始肢位：マットの上に膝立ちになり，ローラーに両手の指先をつけ，背中を丸くする。

開始肢位

❶
❷

動　作：

❶ローラーを転がしながら上体を下げ，両腕を前に伸ばす。

❷視線を前に向けたまま胸を開く。脇の下でローラーを抑えて安定させる。

❶を通って開始肢位に戻る。

ポイント：
- 開始肢位に戻る時に，できるだけ骨盤を後方に引かないようにすると，難易度が上がる。骨盤を後方に引くようにすると，難易度が下がる。

膝立ち位のエクササイズ 1

サイ・ストレッチ

目　的：前面筋の遠心性収縮を促す。体幹を安定させる。

ターゲットとなる筋肉：大腿四頭筋，腸腰筋，腹筋群，頚部筋群，前鋸筋

注意点：
- 腰や首が弱い人は，過負荷にならないように後ろへの傾きを調整する。

開始肢位：骨盤幅で膝立ちになる。ローラーを両手で持ち，肩の高さに上げ，頭頂を天井の方に伸ばす。

開始肢位

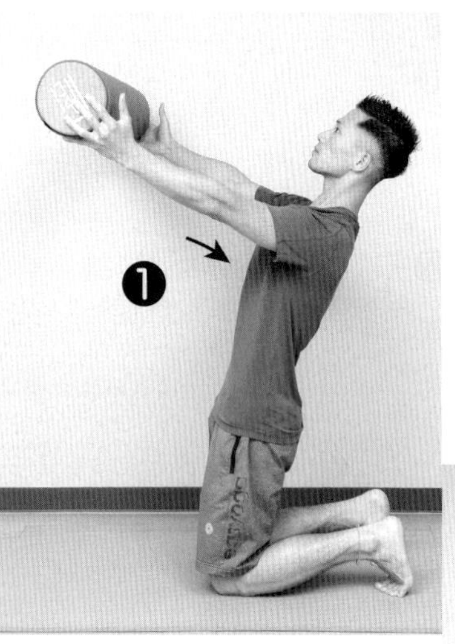

動　作：

❶膝を支点として，体全体を後方に傾ける。

❷適度に傾けたら，ローラーを天井の方に持ち上げながら，視線もそれを追いかけ，胸を引き上げる。

❶に戻り，5 回繰り返す。

バリエーション 1

オンローラー

❶ローラーの上に膝立ちになる。

❷膝を支点として, 体をニュートラルに（生理的弯曲）保持したまま後方へ傾ける。

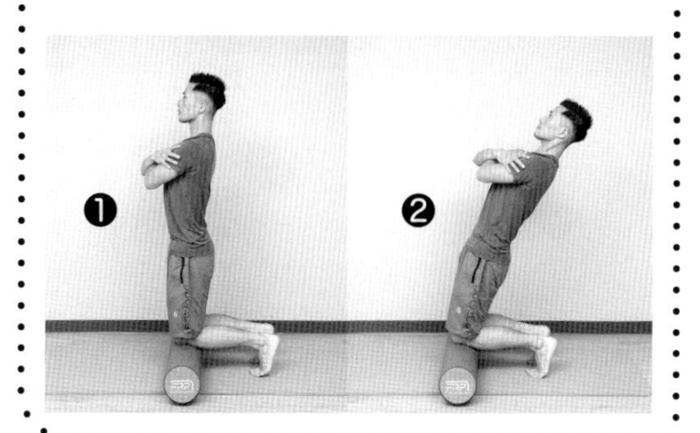

バリエーション 2

オンローラーで腕を上げる。

❶ローラーの上に膝立ちになり, 両腕を前に上げて伸ばし, 体を後方に傾ける。

❷両腕をさらに天井の方に上げる。

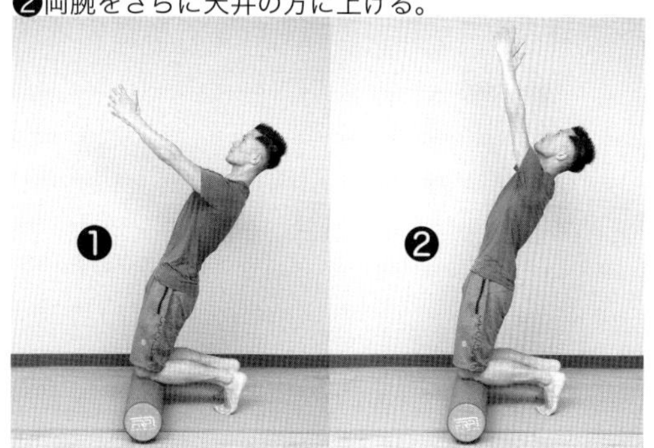

バリエーション 3

オンローラーでツイスト

❶ローラーの上に膝立ちになり, 体を後方に傾け, 両腕を天井の方に上げる。

❷左手を後ろに伸ばすようにしながら, 上体を捻る。視線は手を追いかける。

❸右側でも同様に行う。

（回旋筋の動きを促す）

バリエーション 4

パスザボール

❶ローラーの上に膝立ちになり, 肩の高さに両腕を上げる。

❷ボールをパスするように左へ体を捻る。

❸両手を天井の方に上げる。

❹反対側に捻る。

膝立ち位のエクササイズ 2

サイド・フロー

目　的：側腹の動きを促す。胸椎の可動性を向上させる。体側の伸張と軸の伸長を促す。

ターゲットとなる筋肉：前鋸筋，腹斜筋，腸腰筋，腰方形筋，多裂筋

注意点：

- 肩だけで動かないように，全身の伸びを感じながら行う。

開始肢位：ローラーに右膝を乗せ，左脚を外側に伸ばす。

動　作：

❶左腕を左足に向かって伸ばす。右手はローラーに置き体を支える。左腕を遠くに伸ばしながら，頭頂の先に向かって円を描く。

❷左腕を頭の横から床と平行に伸ばし，左の体側を伸ばす*。

❸脇の下から天井を見上げるように胸を開く。

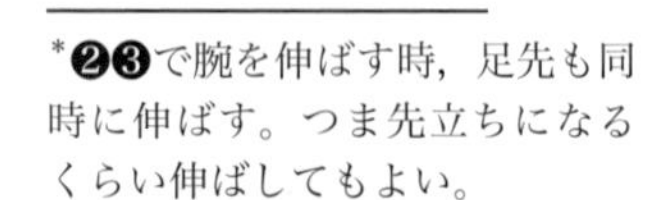
*❷❸で腕を伸ばす時，足先も同時に伸ばす。つま先立ちになるくらい伸ばしてもよい。

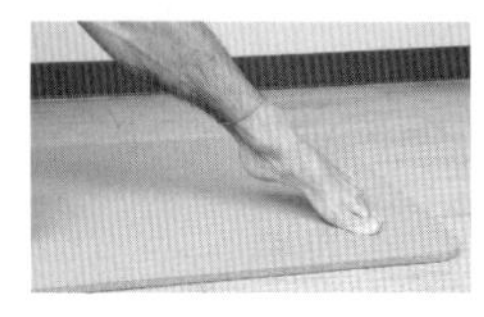

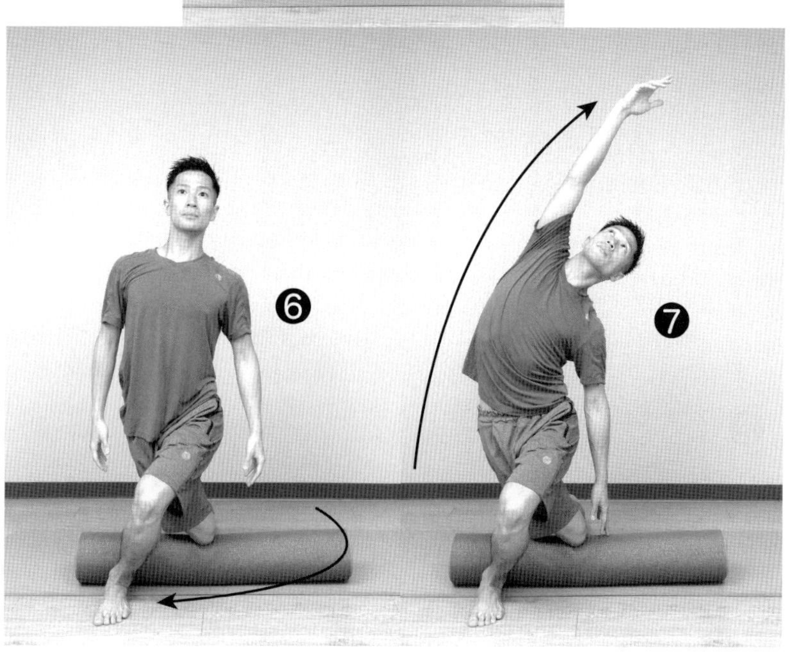

❹❷を通って❶に戻り，両手でローラーのエッジを持ち，左足を後ろへ引く。

❺天井に向かって両手を上げ，胸を開く。

❻後ろにあった左足を外から回し，ローラーの前に出してクロスする。

❼右腕を伸ばして頭頂の先に向かって上げる。

反対側でも同様に行う。

膝立ち位のエクササイズ３

サイド・ベンド

目　的：側腹の伸張と軸の伸長を促す。

ターゲットとなる筋肉：腹斜筋，前鋸筋，腰方形筋，中殿筋，内転筋群

注意点：

- 伸びている方を意識して，縮んでいる方を強調しないようにする。

開始肢位：右膝をついて片膝立ちになり，体の前にローラーを持ち，左脚を外側に伸ばす。骨盤の高さが左右同じになるように注意する。

動　作：

❶両腕を伸ばしたまま，ローラーを頭上に持ち上げる。

❷上体を右側へ倒す。

❸❶へ戻り，上体を伸ばしながら左側へ倒す。

３～５回繰り返す。

反対側でも同様に行う。

バリエーション 1

捻りを加える。

❶片膝立ちでローラーを持ち，ついていない側の脚を外側に伸ばす（基本動作の開始肢位）。

❷体を曲げている脚の側に捻りながら，両腕を遠くに伸ばす。

❸伸ばしている脚の側にも同じように行う。

余裕があれば，ローラーを頭上に上げ天井を見る。

バリエーション 2

❶基本動作の❷から，体を天井の方へ捻る。

❷そのまま，下を見るように，体を床の方へ捻る。

バリエーション 3

❶頭頂にローラーを乗せて首を伸ばす。

❷伸ばしている脚と反対側に体を倒す。

❸❶に戻り，伸ばしている脚の側に体を倒す。

膝立ち位のエクササイズ 4

サイド・シッティング

目　的：側腹の伸張を促す。

ターゲットとなる筋肉：前鋸筋，腰方形筋，腹斜筋

注意点：
- 伸びている方を意識して，縮んでいる方を強調しないようにする。

開始肢位：マットの上に膝立ちになり，体の前でローラーを持つ。

動　作：
❶両腕を伸ばしたまま，ローラーを頭上に持ち上げる*。

*ローラーは頭よりも前に位置させる。必要以上に後ろまで上げると，僧帽筋が主に働き，首が詰まってしまう。

❷ローラーを遠くへ押し出しながら体側を伸ばし，横座りをする。

❸脇の下から天井を見上げて胸を開く**。

❹ローラーを前に押し出し，背中を開く。

❺正面を向いて膝立ちになり，ローラーを体の前に置く。背中を徐々に伸ばし，ロールアップする。

反対側でも同様に行う。

**胸を開く時に，肘が曲がらないように注意する。

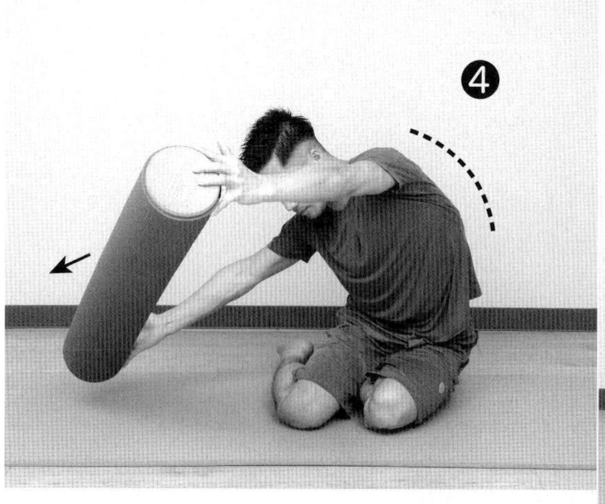

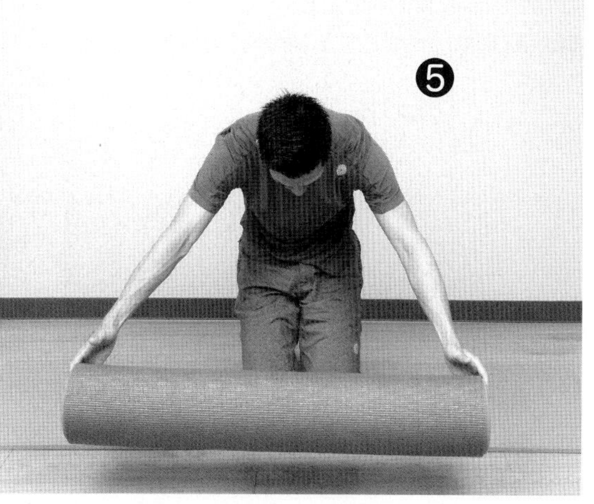

立位のエクササイズ 1

ワンレッグ・サークル

目　的：バランス能力の向上，股関節の柔軟性の向上。

ターゲットとなる筋肉：腸腰筋，中殿筋，内転筋群

注意点：
- 手にはあまり頼らないようにする。
- バランスを必要とするため，マットなしで行ってもよい。

開始肢位：片手を腰に置き，もう一方を立てたローラーに乗せる。

動　作：

❶片脚（写真では左）を伸ばしたまま持ち上げる。

❷上げた脚で円を描くように，できるだけ水平を保つよう意識しながら，横まで回す。

❸上げた脚を伸ばしたまま，真後ろまで回す。体の伸びを意識する。

反対側でも同様に行う。

バリエーション 1

両手でローラーにつかまって行う。
（強度を下げる）

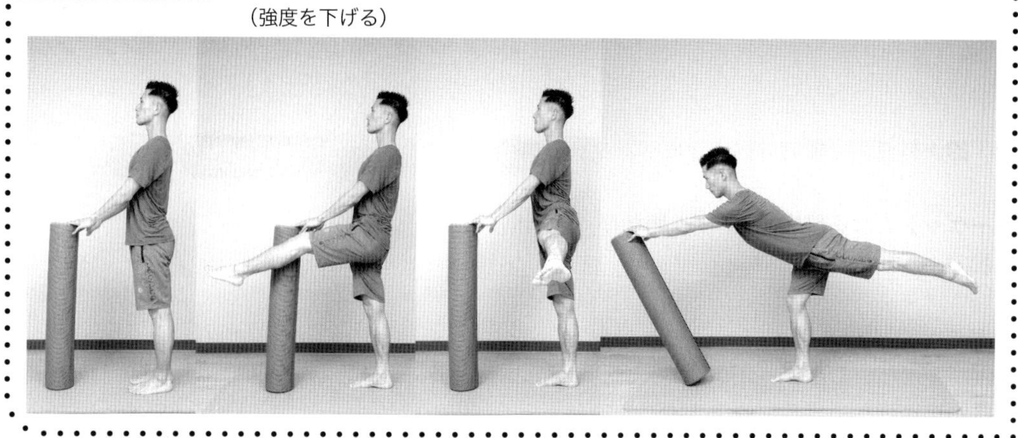

バリエーション 2

膝を伸ばすことができない場合には，膝を曲げた状態で同じように行う。
（強度を下げる）。
❷を抜かして，❶→❸と行う方法もある。

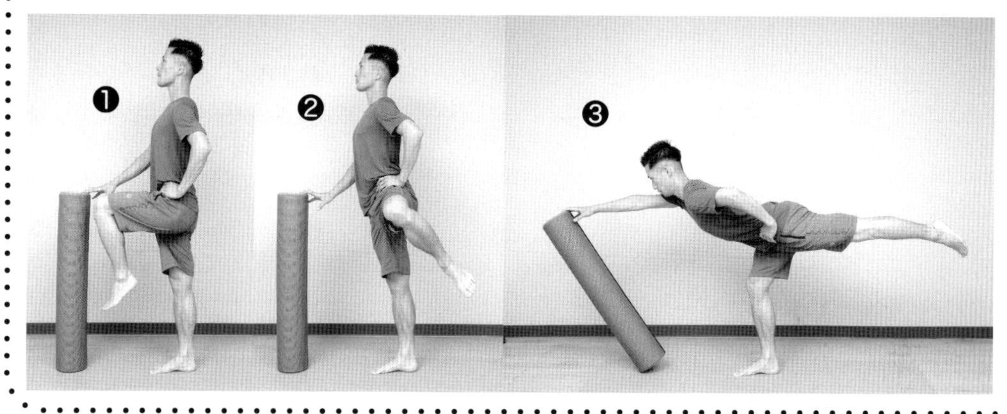

立位のエクササイズ 2
スタンディング・ロールダウン

目　的：脊柱の分節的な動きを促す。

ターゲットとなる筋肉：前鋸筋，胸横筋，腹斜筋，腹横筋，腸腰筋，骨盤底筋

注意点：
- 体が縮まないように，頭頂の伸びを常に意識する。特に，首が縮まらないように注意する。
- 肩に力が入らないように，腕の重さを感じながらリラックスして行う。

開始肢位：ローラーを立て，それを背にして約 5 cm 離れて立つ。

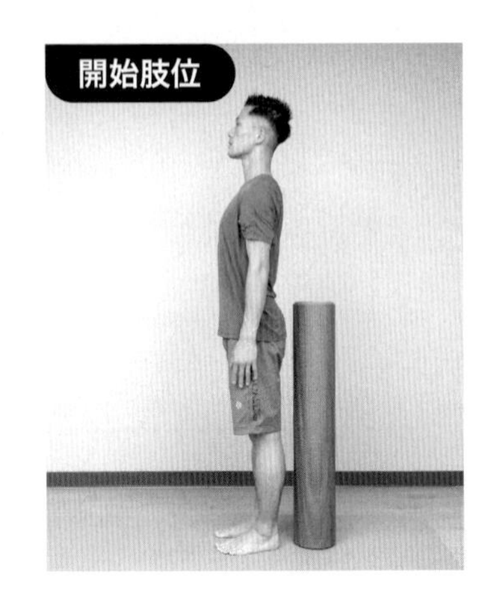

動　作：

❶みぞおちから体を丸め，徐々に前傾する。

❷ローラーを倒さないように前屈していく。

ゆっくりと開始肢位に戻る。

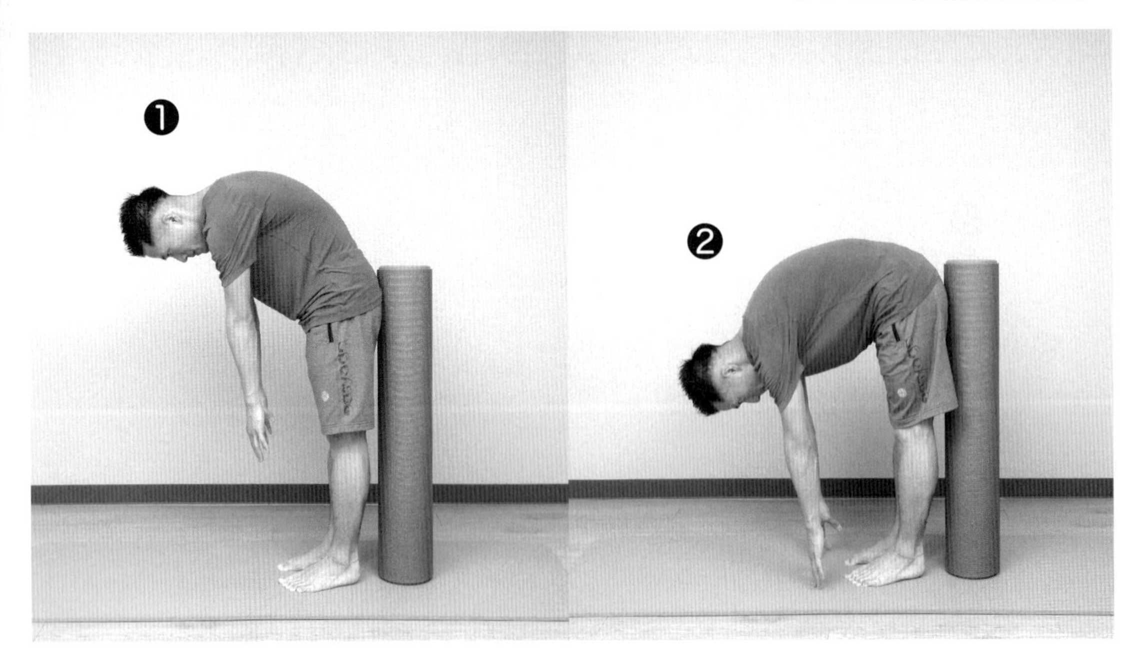

バリエーション1

ローラーを持ち上げて行う。
❶両手でローラーのエッジを持つ。
❷ローラーを頭上に持ち上げる。
❸ローラーを押し出しながら上体を前に倒していく。
❹背中の広がりを感じながら，さらに上体を倒していく。
❺ローラーに頭頂を近づける。
❹→❶の順に元に戻る。

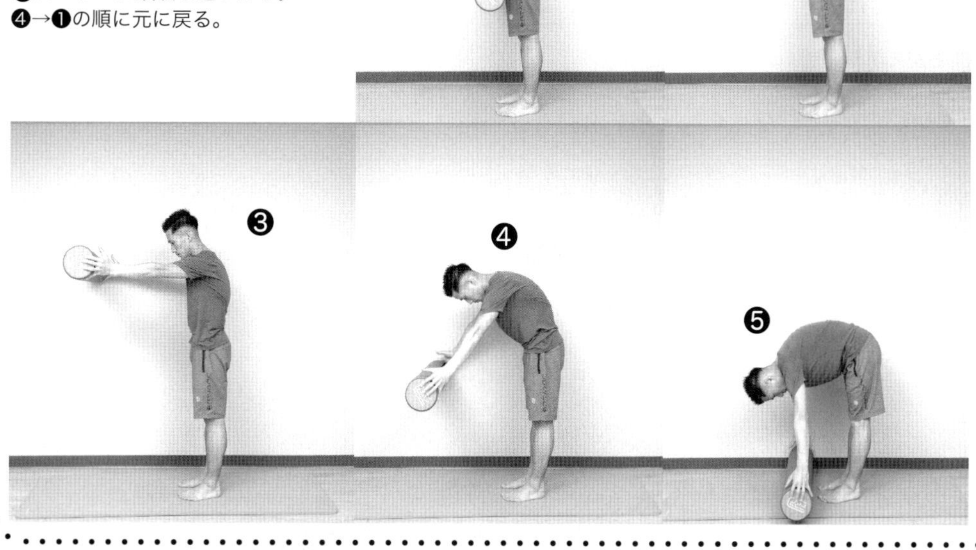

バリエーション2

ローラーを大腿につけて行う。
❶ローラーを大腿につけて持つ。
❷ローラーの重さを感じながら，大腿に添わせたまま下に下ろしていく。
❸背中の伸びを感じながら，さらに上体を倒していく。
❹ローラーが床についたら，❸→❶の順にゆっくりと元に戻る。

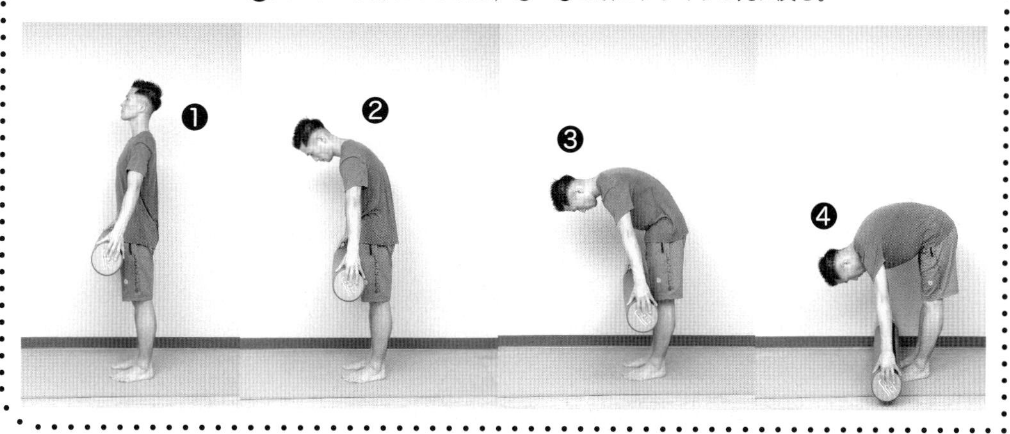

コラム4

腕は伸ばして使う

我々の祖先である類人猿は，チンパンジーやオランウータンのように木にぶら下がっていました。腕は当然のこと伸ばされていました。腕の基本的な使い方は，伸ばす動きです。物を取って引っ張るにしても，先に目標物に手を伸ばさなければなりません。腕を伸ばした位置は,「肩甲骨面(スキャプラプレーン)」といって，肩甲骨の関節面と上腕骨頭が一直線上に並び，肩関節のストレスが一番小さくなります。動きは胸から起こし，腕や手は力を伝えているところとして捉えると，機能的な体の使い方になります。

例：右腕を後ろに伸ばした脊柱の捻り運動

腕のみで動かすと肩関節のみの動きになり，結果的に肩がすくみ，腕を引いていることになる。肩関節にストレスがかかる（上）。腕を伸ばして胸から動かすと，肩が下がり首が伸びる。どこにも余計なストレスはかからない（下）。

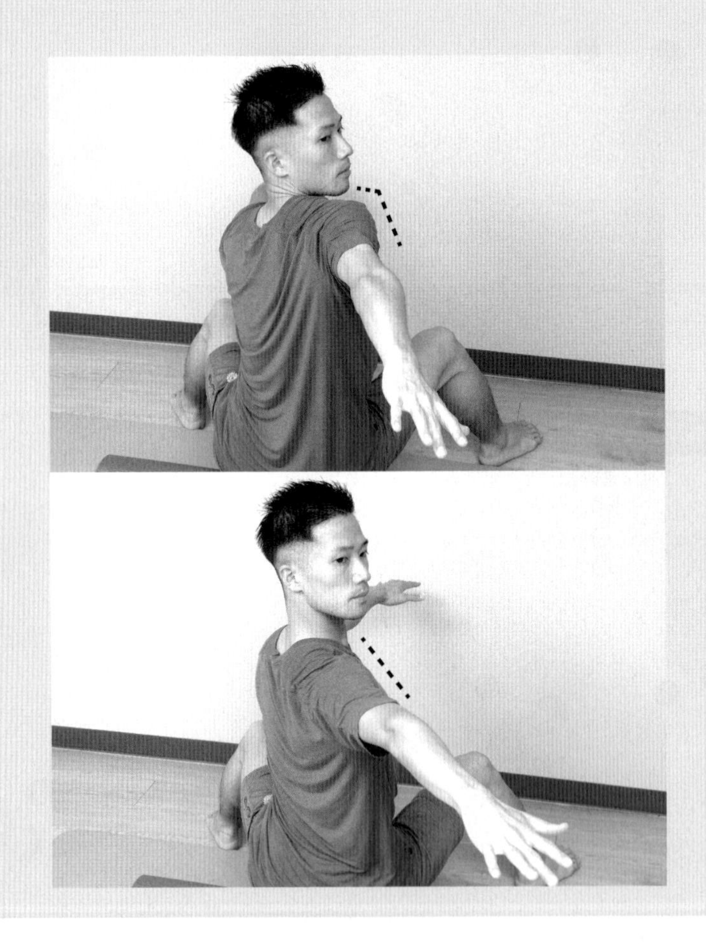

V

アドバンスエクササイズ

臥位のエクササイズ 1

レッグサークル

目　的：体幹の安定化と伸長，股関節の分離運動。

ターゲットとなる筋肉：腸腰筋，腹筋群，内転筋群，大腿四頭筋

注意点：

- 脚の重みで骨盤が前傾し腰椎が過剰に伸展しないようにする。

開始肢位：ローラーに背臥位（仰向け）に乗り，片脚ずつ上げてテーブルトップポジション（膝と股関節を 90° に曲げるポジション）にする。首と腕を伸ばし，両手の指を床に置く。

動　作：

❶両脚を天井に向かって伸ばす。

❷片方の脚を伸ばしたまま床と平行なところまで下ろす。この時に腹部を引き上げ，骨盤を安定させる。

バリエーション

基本動作❷から，床と平行に伸ばしている方の脚を回す。

❸上に上げている脚を内側に入れる。

❹円を描くように脚を下ろす。

❺円を描くように外側に回す。

反対側でも同様に行う。

臥位のエクササイズ 2

ロールオーヴァー

目　的：脊柱の柔軟性を向上させ，分節的動きを促す。

ターゲットとなる筋肉：腹斜筋（特に内腹斜筋），腸腰筋，胸横筋，広背筋

注意点：

- 股関節だけで脚を動かさないようにする。腹部を意識して使うことで脊柱を動かす。
- 首に圧迫が加わるため，首に問題がある場合は行ってはならない。

開始肢位：ローラーの上に背臥位になり，片脚ずつ上げてテーブルトップポジションにする。首と腕を伸ばし，両手の指を床に置く。

動　作：

❶両脚を天井に向かって伸ばす。

❷腹部を使って下半身を持ち上げ，脚が床と平行になるところまで頭上に移動させる。

❸脚を肩幅に開き，脚の間から天井を見る。

❹首と胸骨を離していくように，頭に近い方から背骨を1つずつローラーに下ろしていく。

❺殿部がローラーについたら，円を描くように脚を閉じる。

❻脚を斜め前に伸ばす。

バリエーション 1 ローラーを持って行う。(強度を上げる)

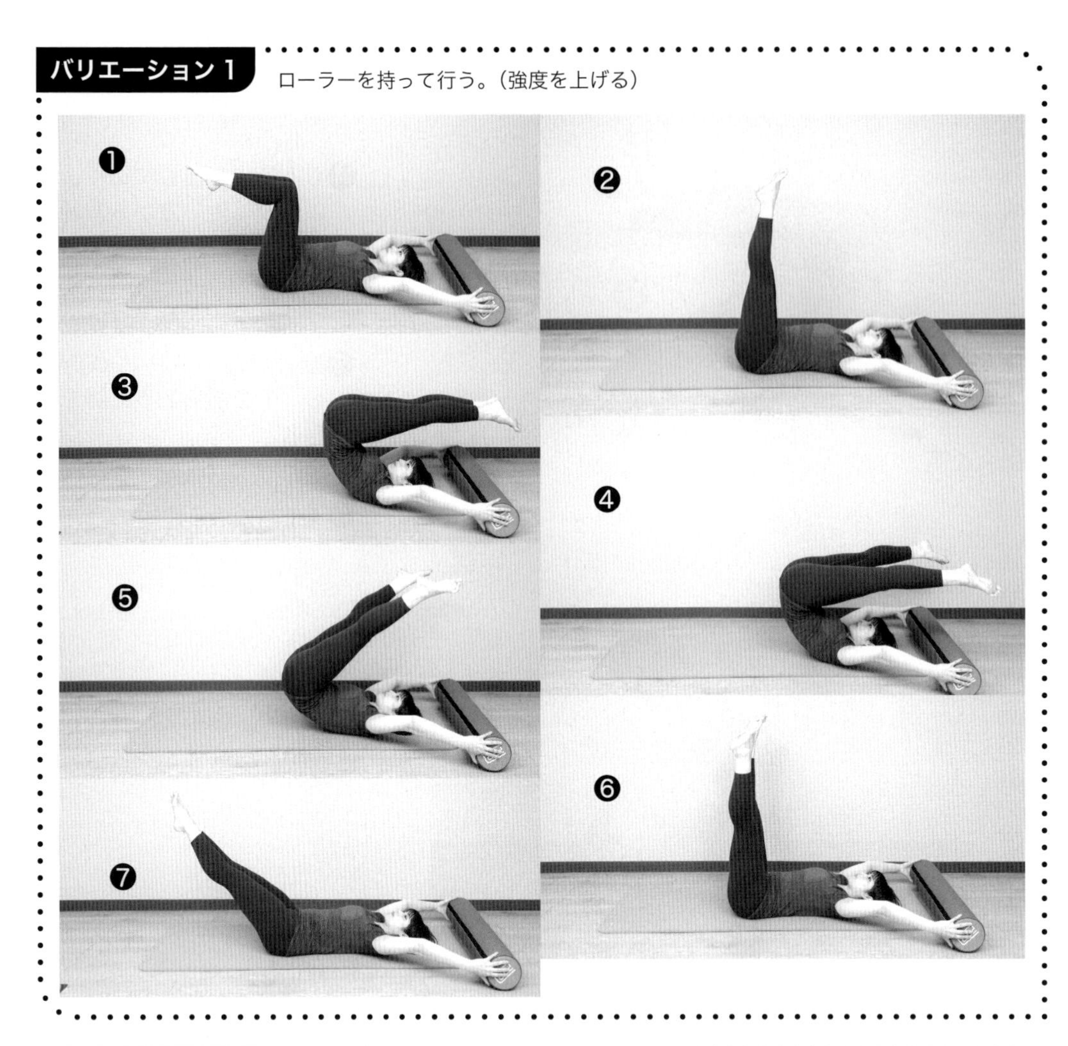

バリエーション 2 両足をローラーの下をくぐらせ，膝の上にローラーを位置させる。

バリエーション 3

ローラーを頭頂にあてて行う。
（脊柱の伸長を促す）

バリエーション 4

殿部をローラーに乗せて行う。（強度を下げる）

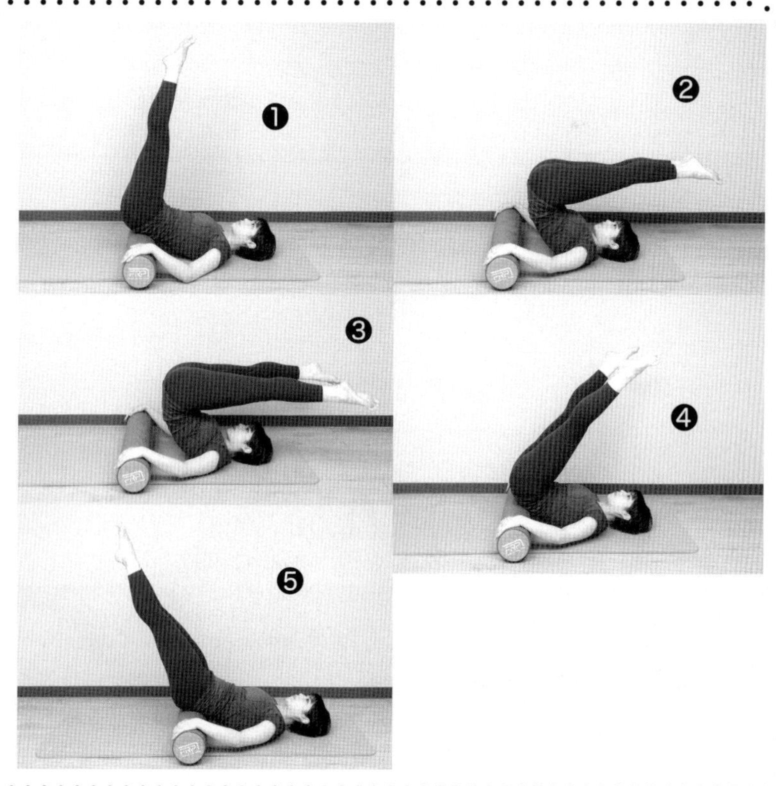

臥位のエクササイズ３

ブリッジバランス

目　的：バランス能力を向上させる。後面筋と前面筋の動きを促す。脊柱の分節的な動きを促す。

ターゲットとなる筋肉：ハムストリング，内転筋群，ヒラメ筋，足部内在筋，腹斜筋，前鋸筋

注意点：
- 腰が反りすぎないように，腹部を引き上げ，骨盤を安定させる。

開始肢位：マットの上に背臥位になり，膝を曲げ，縦に置いたローラーに足を乗せ，背すじを伸ばす。

動　作：

❶膝を押し出しながら殿部を床から持ち上げる。

❷腕を天井に向かって垂直に上げ，バランスをとる。

可能であれば，腕を上げたまま殿部の上げ下ろしを行う。

バリエーション

片脚で行う。

❶基本動作の❶から，片脚を天井の方に伸ばす。

❷上に伸ばした脚を反対側の大腿と平行になるまで下げる。

反対側でも同様に行う。

可能であれば，手を床から離し，強度と難度をさらに上げる。

臥位のエクササイズ4

ティーザー

目　的：脊柱の分節的運動を促す。前面筋の動きを促す。

ターゲットとなる筋肉：腸腰筋，大腿四頭筋，腹斜筋，前鋸筋

注意点：
- 勢いをつけずに，頭と足を同時に上げるようにする。

開始肢位：マットの上に背臥位になる。頭上でローラーを持ち，体を伸ばす。

動　作：

❶腕と脚を同時に持ち上げる。

❷背すじを伸ばす。

可能であれば，股関節を90°曲げた位置で保持する。

バリエーション 1

基本動作❷から，腕だけを上げたり下げたりする。

バリエーション 2

基本動作❷から，脚だけを上げたり下げたりする。

バリエーション 3

両膝を曲げてローラーの内側をくぐらせ，上に脚を出し，背すじを伸ばす。その後，同じ動きを反対の順番で行い，開始肢位に戻る。

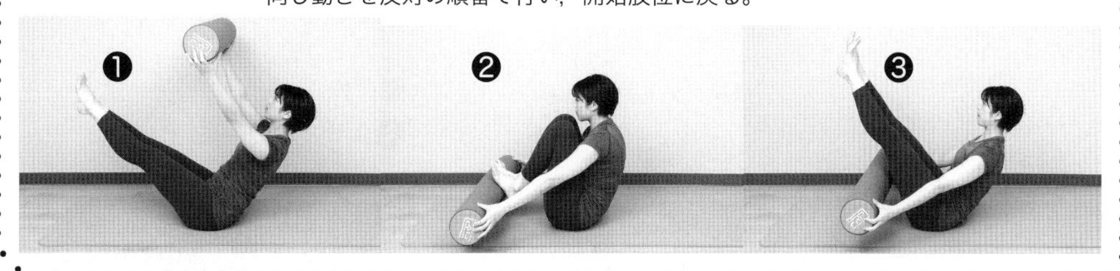

バリエーション 4

ロールオーヴァーと組み合わせる。

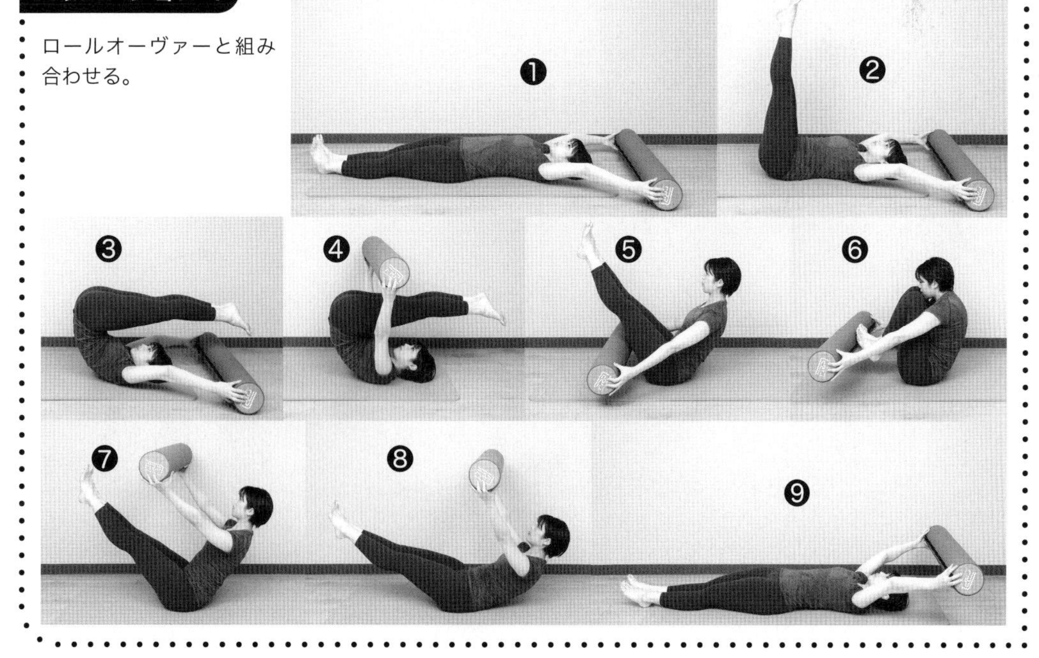

臥位のエクササイズ 5

ジムナスト

目　的：腹部の動きを促す。肩甲帯の安定性を向上させる。

ターゲットとなる筋肉：腹筋群，腸腰筋，前鋸筋，僧帽筋下部

注意点：
● 動作の間呼吸を止めないようにする。

開始肢位：マットの上に両脚を伸ばして座り，ローラーの上に両脚を乗せる。膝の下にローラーを位置させ，両手を後ろに置き，胸を張る。

❶

動　作：
❶両手で体を持ち上げる。

❷体を前に傾けながら，ローラーを引き込む。背中を広くする意識で行う。

バリエーション

❶マットの上に長座になり，ローラーを殿部の後ろに置き，その上に両手を逆手に置く。
❷ローラーを押して殿部を床から浮かす。
❸殿部を後方に引きながら脚を引き込む。
＊床がある程度滑ることが条件である。
＊手首に背屈制限がある場合は行ってはいけない*。

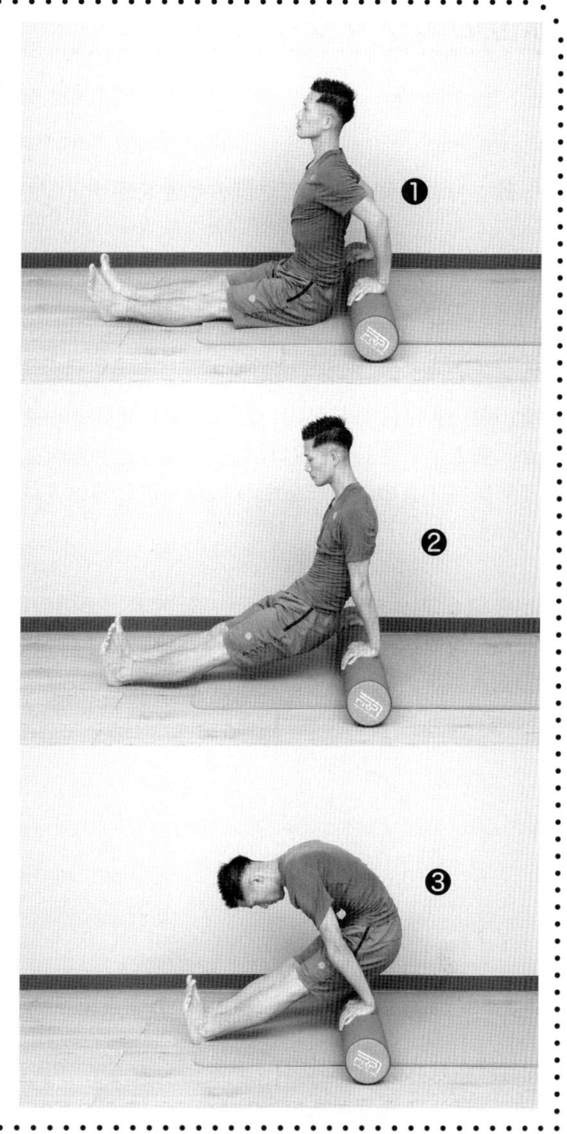

*手首の背屈制限の確認法：両手のひらを合わせて下に押し下げる。90° 以上下がらない場合は背屈制限があり（左），110° くらいまで下げることができれば可動域は正常といえる（右）。

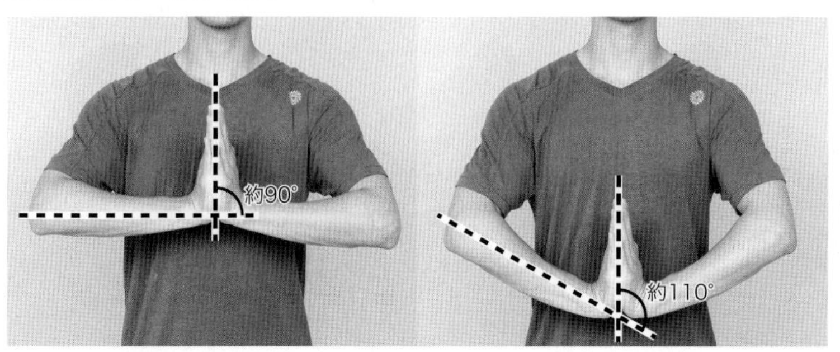

臥位のエクササイズ 6

ヒップサークル

目　的：体幹の安定化，腹筋群の動きを促す。

ターゲットとなる筋肉：腹筋群，腸腰筋，大腿四頭筋，内転筋

注意点：
- 腰が弱い人には負荷が強いため，動く範囲を小さくするか，膝を曲げて行う（バリエーションを参照）。
- 姿勢保持で首の前面筋を使うため，首の弱い人は短時間で行う。

開始肢位：マットの上にローラーを置き，その前に座る。ローラーを背中の後ろで抱えるように脇の下に位置させ，両脚を天井の方に伸ばす。

動　作：

❶両脚をそろえたまま，骨盤から左に移動させる。

❷円を描くように脚を下ろしていく。

❸脚が下まで下りたら，右側へ上げていく。

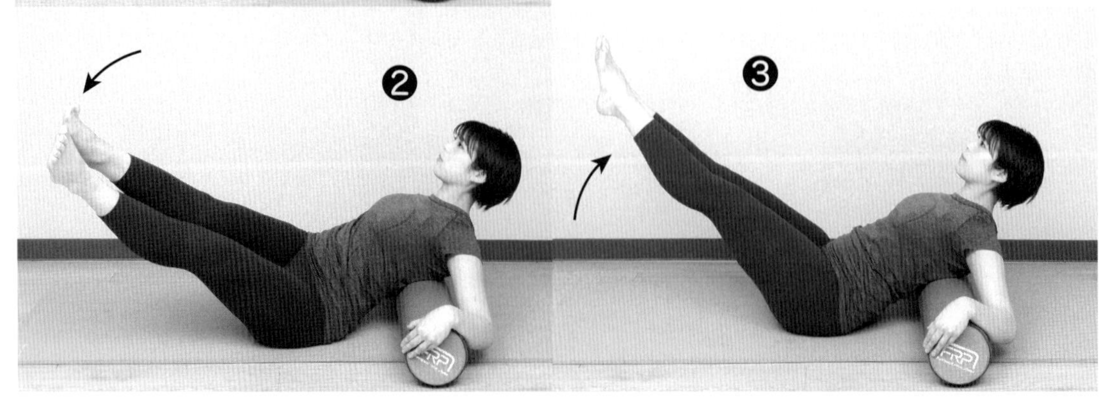

バリエーション 膝を曲げて行う。（強度を下げる）

❹❺大きな円を描くように脚を上げていき，開始肢位に戻る。

反対側（右回り）へも同様に行う。

ポイント：

- マットの上に仙骨で円を描く感覚で，骨盤から脚を動かす。動きが過剰になって腰に負担がかからないように注意する。

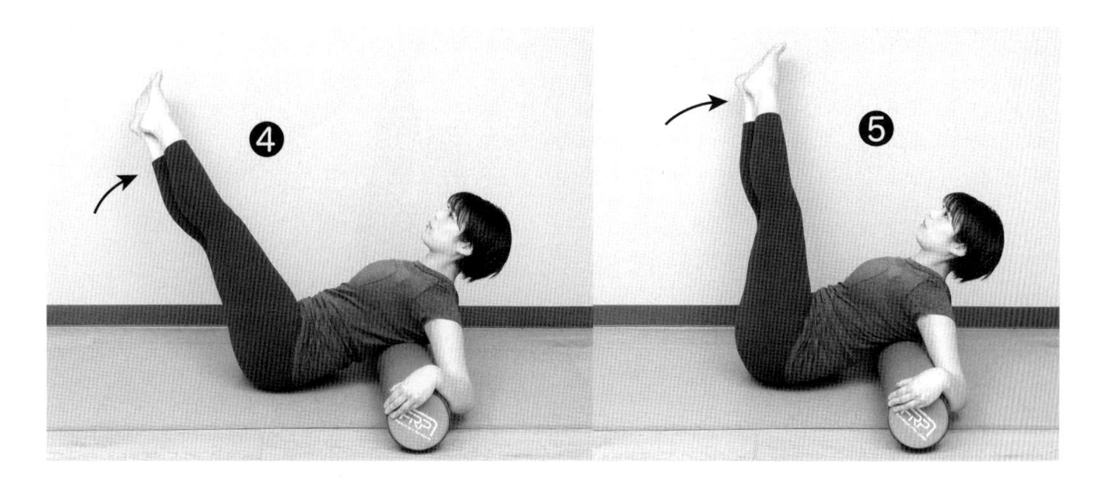

臥位のエクササイズ 7

エッジ・トゥ・エッジ

目　的：バランス能力と体幹の安定性を向上させる。

ターゲットとなる筋肉：腹斜筋，内転筋群，腰方形筋

注意点：
- 手と足がバラバラにならないように，できるだけ一直線上に位置させるように心がける。
- 勢いで行わないようにする。

開始肢位：マットの上に背臥位になり，腕と脚を伸ばして天井の方に上げ，ローラーを挟む。

動　作：

❶右側に全身を傾け，左半身を床から浮かす。倒れそうになるギリギリまで傾ける。

❷開始肢位に戻り，左側でも繰り返す。

バリエーション

ベビーエッジ
膝と肘を曲げて行う。
（強度を下げる）

臥位のエクササイズ８

コア・クロス

目　的：体幹の安定化。

ターゲットとなる筋肉：腹斜筋，前鋸筋

注意点：
- 比較的負荷の高いエクササイズなので，呼吸を止めやすい。呼吸を止めないように注意する。

開始肢位：両手でローラーのエッジを把持し，腕立て伏せの姿勢になる。

動　作：

❶左右の足が前後に並ぶように骨盤を捻る。

❷後ろの脚（写真では右）を床から浮かして股関節を伸ばす。

❸後ろの脚の膝を曲げ，反対側の肘に近づける。

❷，❸を５回繰り返す。

反対側でも同様に行う。

バリエーション

肘をついて行う。
（強度を下げる）

臥位のエクササイズ９

サイド・リフト

目　的：正中化，脊柱の伸長，腹筋群の動きを促す。

ターゲットとなる筋肉：腰方形筋，腹斜筋，前鋸筋，中殿筋

注意点：
- 肩関節に寄りかからないように，肘でしっかりと床を押し，筋肉で支える。

開始肢位：マットの上に側臥位（横向きの姿勢）になり，ローラーに脚を乗せる。肘をつき，手はやや外に開いた位置に置く*。

*手はやや外に開いた位置に置く。

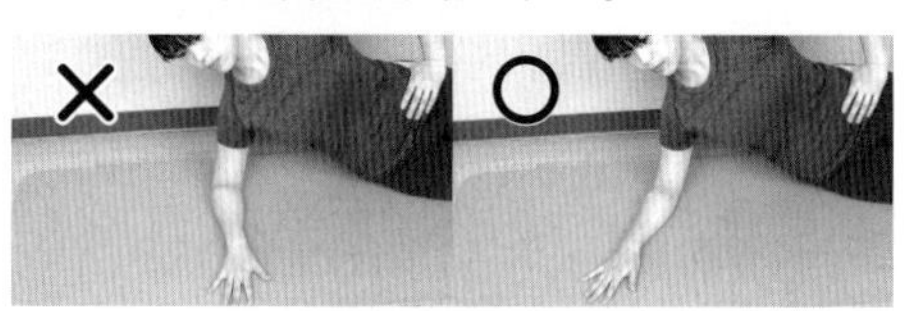

動　作：

❶頭頂を押し出しながら殿部を持ち上げる。足から頭までが一直線になるようにする。

❷上の脚を開く。

開始肢位に戻り，５回繰り返す。

反対側でも同様に行う。

バリエーション 1

脚を前後に動かす。

❶基本動作の❶から上の脚を前に出す。この時，足はフレックスとする。

❷上の脚を後ろに引く。この時，足はポイントとする。腰が反りすぎないように，腹筋群によって安定させる。

5 回繰り返す。

（股関節の分離運動）

バリエーション 2

上の腕を上に伸ばしてバリエーション 1 を行う。

（強度を上げる）

臥位のエクササイズ 10

クロス・リフト

目　的：腹斜筋の動きを促す。

ターゲットとなる筋肉：腹斜筋，腸腰筋，前鋸筋

注意点：
●呼吸を止めないように注意しながら行う。

開始肢位：マットの上で腕立て伏せの姿勢になり，ローラーに両足を乗せる。足首に近い脛がローラーにあたるようにする。

動　作：
❶左右の足が前後に並ぶように骨盤を捻る。

❷ローラーを手前に転がしながら股関節を引き込み，殿部を天井の方に持ち上げる。

❶，❷を何回か繰り返す。

反対側でも同様に行う。

臥位のエクササイズ 11

ワンアーム・スワン

目　的：体幹の回旋を促す。背筋群の動きを促す。

ターゲットとなる筋肉：下後鋸筋，脊柱起立筋，前鋸筋

注意点：

- 腰が反りすぎないように，常に腹筋を引き上げて行う。

開始肢位：マットの上に腹臥位（うつ伏せ）になり，ローラーの中心付近に両手を乗せる。

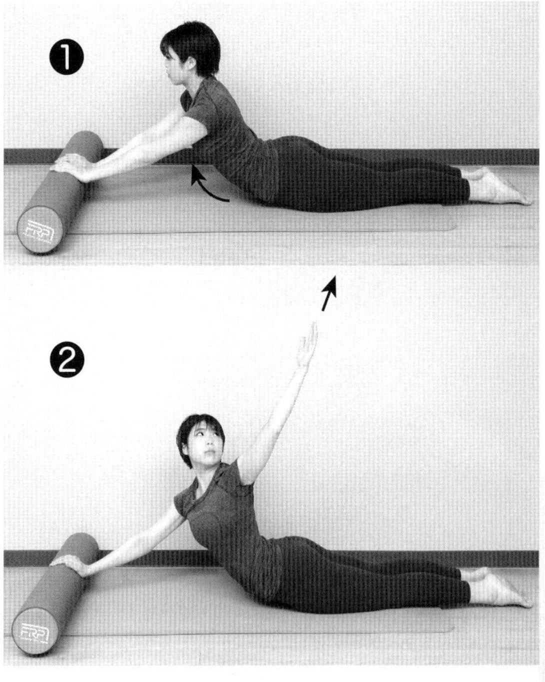

動　作：

❶上半身を持ち上げて保持する。

❷右手でローラーを抑えながら，左手を斜め後方に上げ，腕を伸ばす。それとともに上体を反らしながら捻る。

❸反対側でも同様に行う。

臥位のエクササイズ 12

レッグ・エロンゲーション

目　的：下肢の伸長を促す。

ターゲットとなる筋肉：腰方形筋，中殿筋，腸腰筋

注意点：

- 左右の骨盤の床からの高さを，できるだけ平行に保つ。
- 腰を反らないように注意する。
- 骨盤が動く範囲の動作であるため，目で見える動きは小さい。踵の位置で確認する。

開始肢位：ローラーの上に背臥位に乗る。片脚を伸ばし，もう一方の脚をテーブルトップポジションにする。

動　作：

❶伸ばした側の足を足底の方向に押し出す。

❷伸ばした脚を引き込む。

開始肢位に戻り，5 回繰り返す。

反対側でも同様に行う。

バリエーション

腕を上げて行う。
（不安定にする）

臥位のエクササイズ 13

チェスト・アップ

目　的：胸椎の選択的伸展を促す。

ターゲットとなる筋肉：胸棘筋，下後鋸筋，広背筋

注意点：
- 脇の下を圧迫するため，腕にしびれが出るようであれば行わない。
- 目視できるほどの動きは起こらない，わずかな動作である。

開始肢位：マットの上に腹臥位になり，上体を起こし，ローラーを脇の下に挟む。

動　作：
脇の下でローラーを下に押しつつ，みぞおちを前に押し出す。そうすることで，胸椎の伸展を促す。

ポイント：
- 呼吸に合わせて行う。息を吸う時に胸を広げ，胸椎を伸展させるようにする。

臥位のエクササイズ 14

フラッターキック

目　的：大腿四頭筋の動きを促す。

ターゲットとなる筋肉：大腿四頭筋，腸腰筋

注意点：
- 動きを大きくすると，負荷が強くなりすぎる可能性がある。膝の状態に応じて足の上げ幅を調整する。

開始肢位：マットの上に長座位になり，ローラーの上に両脚を乗せる。膝下にローラーを位置させ，両手を後ろにつき体を支える。

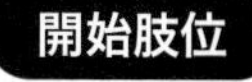

動　作：

❶❷バタ足のように左右の足を交互に上下に動かし，ローラーに膝裏をあてる。

ポイント：
- あたった勢いで膝が曲がらないよう制御しながら行う。

臥位のエクササイズ 15

ルック・アラウンド

目　的：腹斜筋の動きを促す。

ターゲットとなる筋肉：腹斜筋（特に内腹斜筋），斜角筋，胸鎖乳突筋

注意点：

- 膝の位置は開始肢位から動かないように意識する。

開始肢位：ローラーの上に背臥位になる。左右の手でそれぞれ反対側の肘を把持し，天井の方に持ち上げ，背中を広げる。

開始肢位

動　作：

❶下半身は動かさないようにしながら，後ろを振り返るように上半身を片側に捻り，ローラーのピーク（最も高くなっているところ）から上半身を少しだけ滑り落とさせる。

❷反対側でも同様に行う。

臥位のエクササイズ 16

アラベスク

目　的：側腹筋の動きを促す。体幹の伸長。

ターゲットとなる筋肉：中殿筋，大殿筋，腹斜筋，腰方形筋，前鋸筋，

注意点：

- 支持している腕に寄りかかると肩関節に負担がかかるため，首を長くして，肘でローラーをしっかり押す。

開始肢位：マットの上に横座りになり，片側の肘をローラーに乗せる。上側の脚を横に伸ばし，上体を起こす。

動　作：

❶上側の手を顔の前に上げ，同じ側の脚を後ろに伸ばす。

❷上げた手を返しながら後ろに下げ，伸ばした脚を前に押し出す。

❶，❷を 5 回繰り返す。

反対側でも同様に行う。

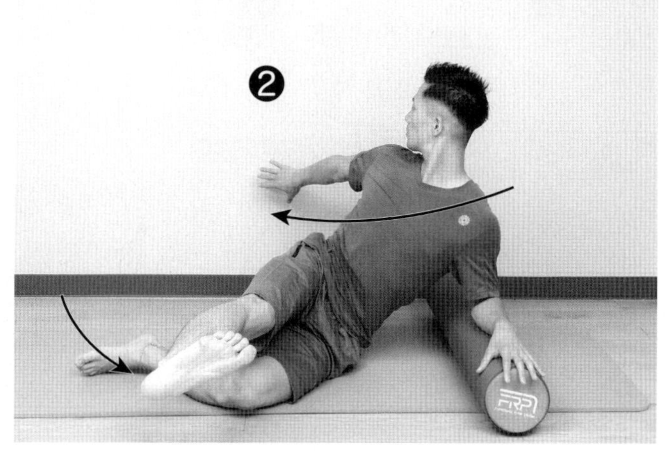

四つ這い位のエクササイズ 1

ツイスティッドリフト

目　的：体幹の安定化，股関節の分離運動を促す。

ターゲットとなる筋肉：腰方形筋，前鋸筋，腹斜筋，中殿筋，内転筋

注意点：
- 骨盤が脚の動きにつられて動かないように注意する。

開始肢位：マットの上に四つ這いになり，ローラーに左側の肘を乗せ，右手でローラーを押さえる。

動　作：
❶殿部を上げて膝を伸ばす。

❷骨盤を右に開き，下半身を床に対して垂直にする。左右の足が前後に並ぶようにする。

❸上側の脚（右脚）を伸ばしたまま上げる。

❹〜❼反対側でも同様に行う。

バリエーション 1

基本動作❷から行う。
❶上側の脚を前に上げる。
❷その脚を後ろに引く。

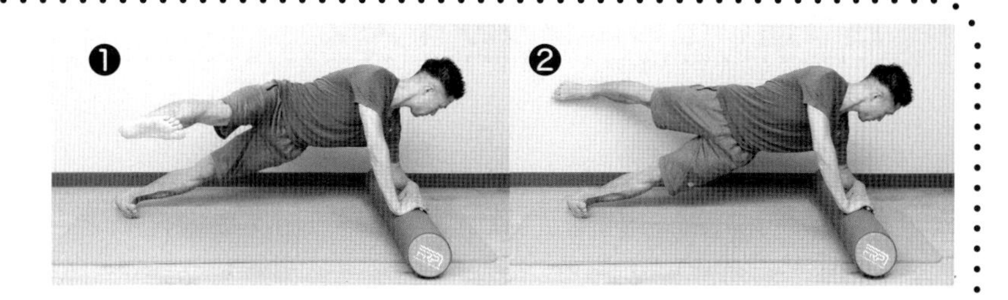

バリエーション 2

❶マットの上に片側の肘をつき，ローラーに足を乗せる。
❷殿部を上げて膝を伸ばす。上半身は床の方に向け，手と腕で支える。
❸膝を曲げ，伸ばしてローラーを転がす。
5 回繰り返す。

四つ這い位のエクササイズ 2

ニーストレッチ

目　的：腹部の動きを促す。脊柱屈曲を促す。

ターゲットとなる筋肉：腹斜筋，腹横筋，前鋸筋，胸横筋

注意点：

- 肩甲骨を寄せないように，常にローラーを押して背中を開いておく。

開始肢位：マットの上に膝立ちになり，ローラーに手をあて，背中を開く。肩の下に手首，股関節の下に膝を位置させる。

動　作：

❶殿部を天井に向かって上げ，上半身を伸ばす。

❷膝を床に向かって下ろしながら，背中を開く。膝が床につくギリギリ手前で止める。

バリエーション

片脚立ちで行う。
❶片脚を後方に伸ばす。手から足までが一直線になるようにする。
❷膝をローラーにぎりぎりまで近づけ，同時にローラーを押して背中を開く。
反対側でも同様に行う。

四つ這い位のエクササイズ 3

アブドミナル

目　的：腹筋群の動きを促す。

ターゲットとなる筋肉：腹筋群，腸腰筋，前鋸筋，ハムストリング

注意点：
- 呼吸を止めないように注意しながら行う。
- 手首の背屈に制限があったり*，手首に違和感がある場合は，行ってはならない。

開始肢位：マットの上に四つ這いになる。肩の下に手首がくるようにし，ローラーの上に脛を乗せる。

動　作：
足でローラーを転がし，大腿を腹部に引き寄せ，膝を鼻に近づける。

---
*手首の背屈制限の確認法については，p.139 を参照。

バリエーション 1

ジャックラビット（片脚で行う）

❶基本動作の開始肢位から，片脚を後方に伸ばし，もう一方の脚を腹部に引き寄せ，膝を鼻に近づける。

❷リズミカルにスイッチするように，曲げていた脚を伸ばし，伸ばしていた脚を引き寄せる。

（強度を上げる）

バリエーション 2

インヴァーティッド V（脚を伸ばして行う）

❶基本動作の開始肢位から，ローラーを転がしながら両膝を伸ばす。

❷鼡径部を引き込みながら，殿部を天井の方に引き上げる。

四つ這い位のエクササイズ４

クリープ

目　的：正中化，体幹の動きを促す。

ターゲットとなる筋肉：腹斜筋，大胸筋，前鋸筋

注意点：

- このエクササイズは負荷が強いため，肩関節に違和感や痛みがある場合には，行ってよいかどうか検討が必要である。

開始肢位：マットの上に四つ這いになり，縦に置いたローラーに片側の前腕を乗せる。

動　作：

❶ローラーに乗っていない側の腕を前に伸ばし，反対側の脚を後ろに伸ばす。

❷伸ばした腕を体側に沿わせる。

❸腕と脚を横に開く。

❷，❸を何回か繰り返す。

反対側でも同様に行う。

膝立ち位のエクササイズ 1

ワンレッグ・サイストレッチ

目　的：大腿四頭筋のストレッチ，バランス能力の向上。前面筋の動きを促す。

ターゲットとなる筋肉：大腿四頭筋，腸腰筋，腹筋群，前鋸筋，下後鋸筋

注意点：
- 脊柱や支えている側の股関節がふらつかないように，背すじを伸ばす。

開始肢位：片膝をローラーに乗せ，もう一方の足を前について片膝立ちになる。上体は床と垂直にする。

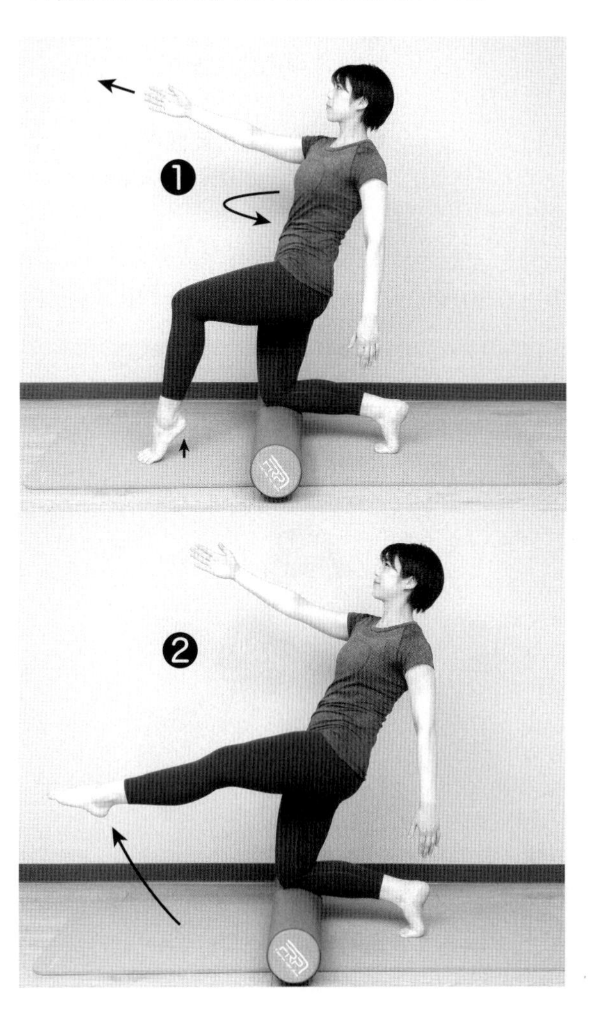

動　作：

❶体を若干後方に傾けながら，前の足の側（写真では左）に体を捻り，前の足をつま先立ちにする。腕を伸ばし，体の中心からの捻りを促す。

❷前の足を床から浮かし，さらに可能であれば膝を伸ばす。

反対側でも同様に行う。

バリエーション

体を捻らずに行う。

❶体を後方に傾ける。両腕を伸ばしたまま前に上げ，バランスをとる。

❷前の足を床から浮かす。

膝立ち位のエクササイズ２

スイミング（オンローラー）

目　的：背筋群の動きを促す。バランス能力の向上，軸の伸長。

ターゲットとなる筋肉：多裂筋，脊柱起立筋，大殿筋，腸腰筋，内転筋群，前鋸筋

注意点：
- 転倒に注意する。
- 肩をすくめないように，常に体幹の伸びを意識して行う。

開始肢位：両膝，両手をローラーに乗せ，四つ這いになる。

開始肢位

動　作：

❶手をローラーから離して上体を一直線にし，保持する。

❷両手を視野の範囲ギリギリのところまで上げる。

❸❹水泳のバタ足のように，左右の腕を上下に動かす。

バリエーション

クロール
❶基本動作の❷から始める。
❷水を掻くように片手を後方に回し，上体を捻る。
❸後方に回した手は遠くを通るようにして元に戻す。

膝立ち位のエクササイズ3

アンクルプッシュ

目　的：足部機能の向上，バランス能力の向上。

ターゲットとなる筋肉：足部の内在筋，ヒラメ筋，後脛骨筋，長腓骨筋

注意点：
- ローラーが滑って転がらないように，真下に押すことを意識する。
- 転倒に注意する。できれば，グリッポンベースを使用する。

開始肢位：マットの上に片膝立ちになり，前の足をローラーの上に乗せ，足趾の付け根を押しあてる。両手をローラーの上に置く。

動　作：
ローラーに乗せた足をつま先立ちにする。

反対側でも同様に行う。

バリエーション 1

ローラーから手を離して行う。
（バランスを難しくする）

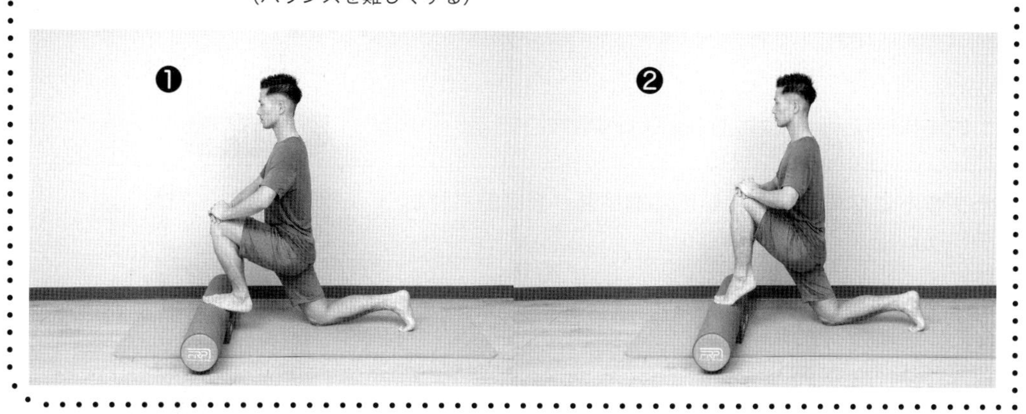

バリエーション 2

後ろの膝をマットから浮かせて行う。
（バランスを難しくする）

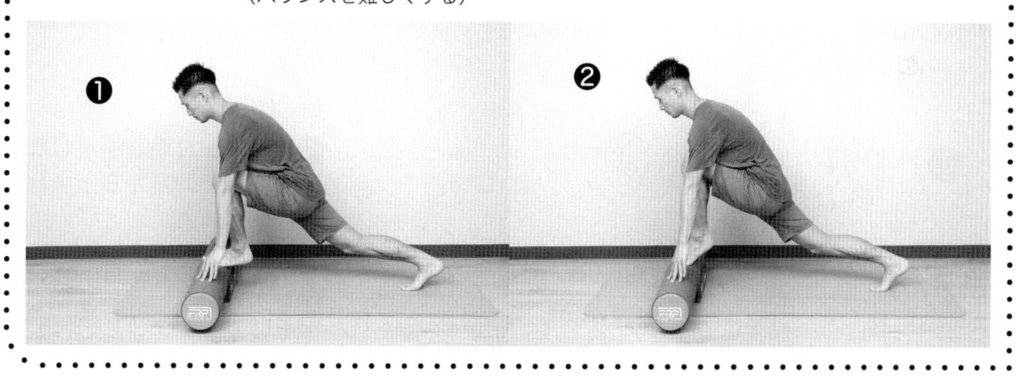

バリエーション 3

後ろの膝をマットから浮かせ，かつローラーから手を離して行う。
（バランスをより難しくする）

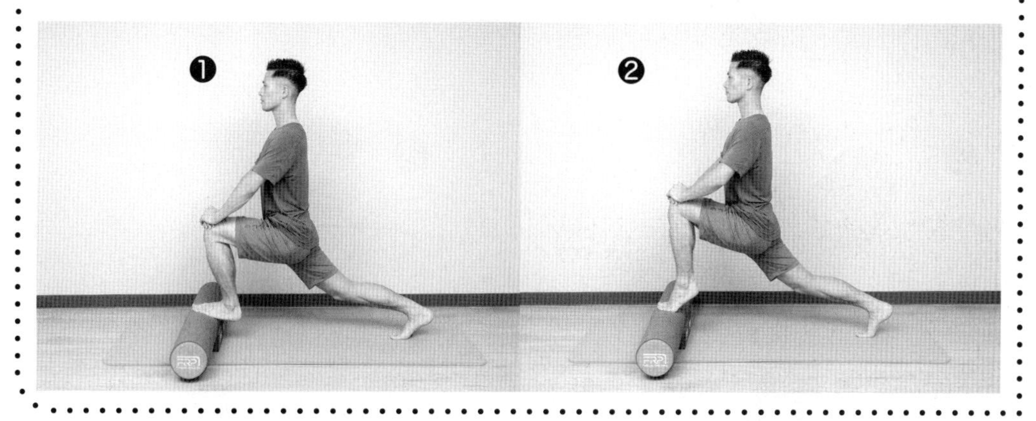

膝立ち位のエクササイズ 4

ニーリング・ロールダウン

目　的：脊柱の分節的な屈曲運動を促す。

ターゲットとなる筋肉：前鋸筋，胸横筋，腹斜筋（特に外腹斜筋）

注意点：
- 骨盤を動かさないようにする。
- 肩に力が入らないように，腕の重さを感じながらリラックスして行う。

開始肢位：マットの上に膝立ちになり，体の前でローラーを持つ。

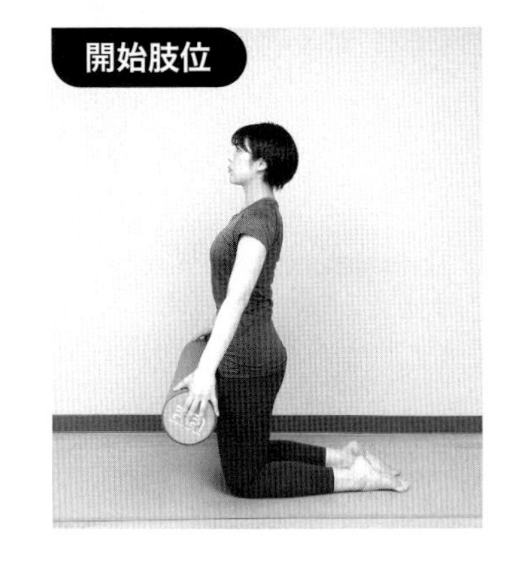

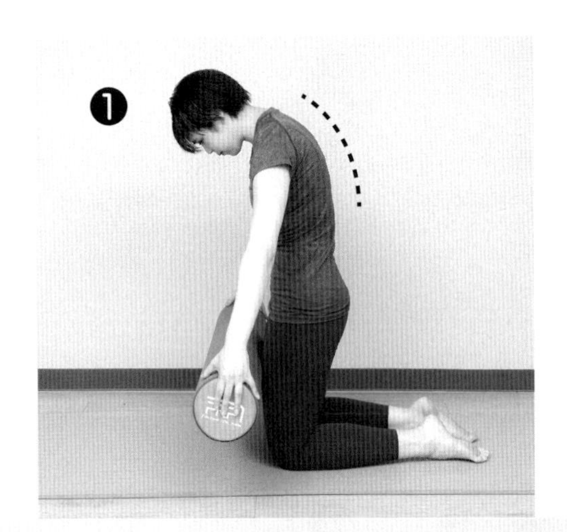

動　作：

❶ローラーの重さを感じながら，みぞおちから上半身を屈曲させる。

❷左大腿にローラーを押しあてながら，そこを支点として左に体を捻り右の背中を開く。

❸反対側でも同様に行う。

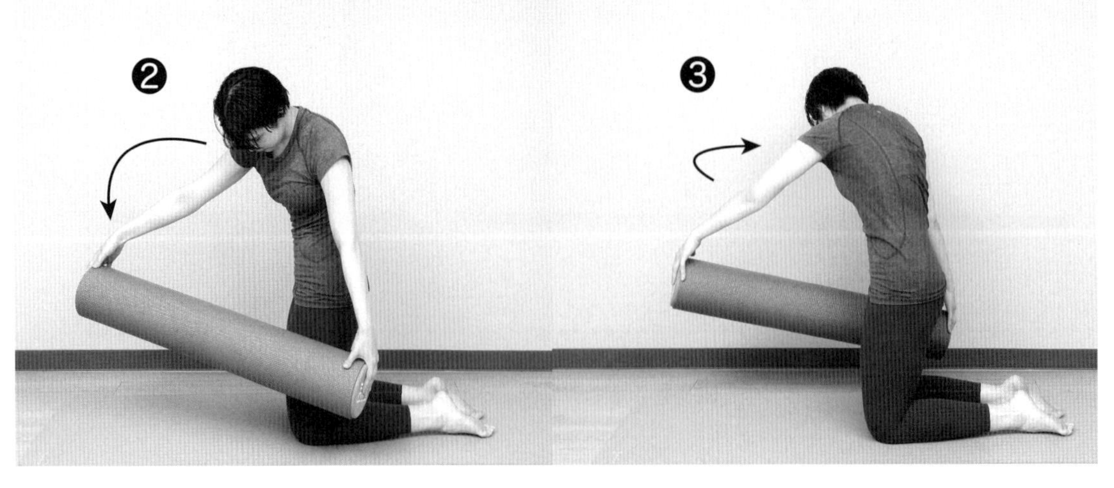

膝立ち位のエクササイズ 5

セレイタス

目　的：体幹回旋を促す。

ターゲットとなる筋肉：多裂筋，前鋸筋，下後鋸筋，脊柱起立筋

注意点：
- 腕の中にある四角形を，捻りの動きによって崩さないように注意する。

開始肢位：ローラーの上に膝立ちになり，左右の前腕を重ねる。

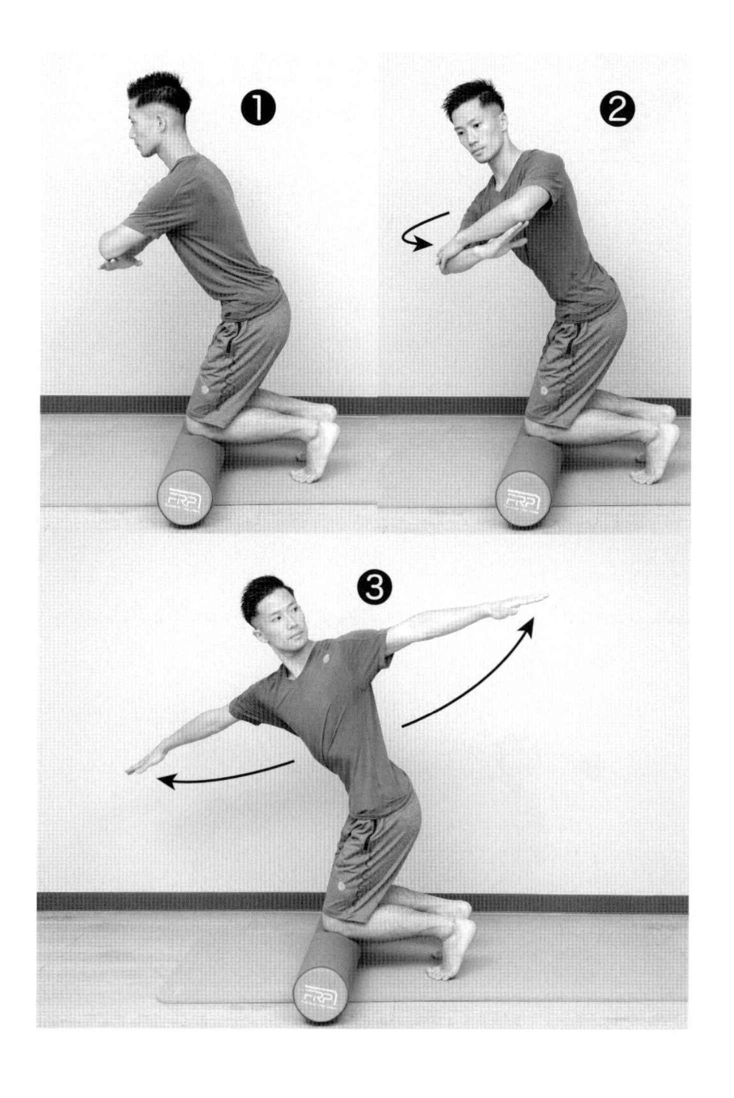

動　作：

❶股関節から上半身を前傾させる。

❷上体を片側に捻る。

❸両腕を開いて伸ばす。

反対側でも同様に行う。

バリエーション

前の腕を内旋，後の腕を外旋すると体幹の捻りがより強くなる。

立位のエクササイズ 1

フットバランス

目　的：足部機能とバランス能力を向上させる。

ターゲットとなる筋肉：足部の内在筋，腓骨筋，前脛骨筋，後脛骨筋，内転筋群，ハムストリング

注意点：

- 膝や足趾の痛み，関節の可動域制限などがある場合には行わない。

開始肢位：ローラーを前に置き，しゃがむ。一方の脚を前に伸ばし，その踵をローラーの上に乗せる。両腕は床と平行に上げる。

開始肢位

動　作：

ローラーを片足で転がし，自分の方に近づける。

反対側でも同様に行う。

バリエーション

両手を天井の方に上げて行う。
（バランスを難しくする）

立位のエクササイズ 2

ワンレッグ・バランス

目　的：足部の左右バランス能力の向上，正中化。

ターゲットとなる筋肉：長・短腓骨筋，前・後脛骨筋，内転筋群，腸腰筋

注意点：
- 転倒に注意する。できるだけグリッポンベースを使用する。必要な場合は壁や手すりなどにつかまる。

開始肢位：ローラーの横に立ち，片足をローラーのピークに乗せる。

動　作：

❶ローラーを足で押して体を持ち上げる。同時に，反対側の足の踵を上げる。

❷バランスがとれたらマットの上の脚を浮かす。

反対側でも同様に行う。

立位のエクササイズ３

スケーティング

目　的：体重移動を伴うバランス能力を向上させる。

ターゲットとなる筋肉：内転筋群，中殿筋，腸腰筋，前脛骨筋，下腿三頭筋，前鋸筋，腹斜筋

注意点：
- 転倒に注意する。できるだけグリッポンベースを使用する。必要な場合は壁や手すりなどにつかまる。

開始肢位：ローラーの上に足幅を広くとって立つ。

動　作：

❶鼡径部から折って軽くスクワットする。

❷片側に骨盤を移動させ，体重移動する。

❸体重がしっかりと乗ったら，反対側の脚を引き寄せる。

バリエーション

体の捻りを加える。
❶体重を移動させる側に腕を伸ばし，体を捻る。
❷脚を引き寄せる。
❸❹反対側へも同様に行う。

❹❺反対側へも同様に行う。

立位のエクササイズ 4

ソウ（オンローラー）

目　的：バランス能力の向上，腹部の動きを促す。

ターゲットとなる筋肉：腹斜筋，腸腰筋，内転筋群，前鋸筋，中殿筋

注意点：
- 転倒に注意する。できるだけグリッポンベースを使用する。必要な場合は壁や手すりなどにつかまる。

開始肢位：ローラーの上に両足をそろえて立つ。両腕を斜め前に伸ばし，肩の高さまで上げる。

動　作：
❶体を左側へ捻る。

❷胸椎から前屈する。股関節・骨盤は極力動かさないようにする。

バリエーション

膝立ちで行う。
❶ローラーの上に膝立ちになり，両腕を斜め前に伸ばす。
❷体を左へ捻る。
❸胸椎から前屈する。股関節・骨盤は極力動かさないようにする。
（難度を下げる）

❸❹反対側へも同様に行う。

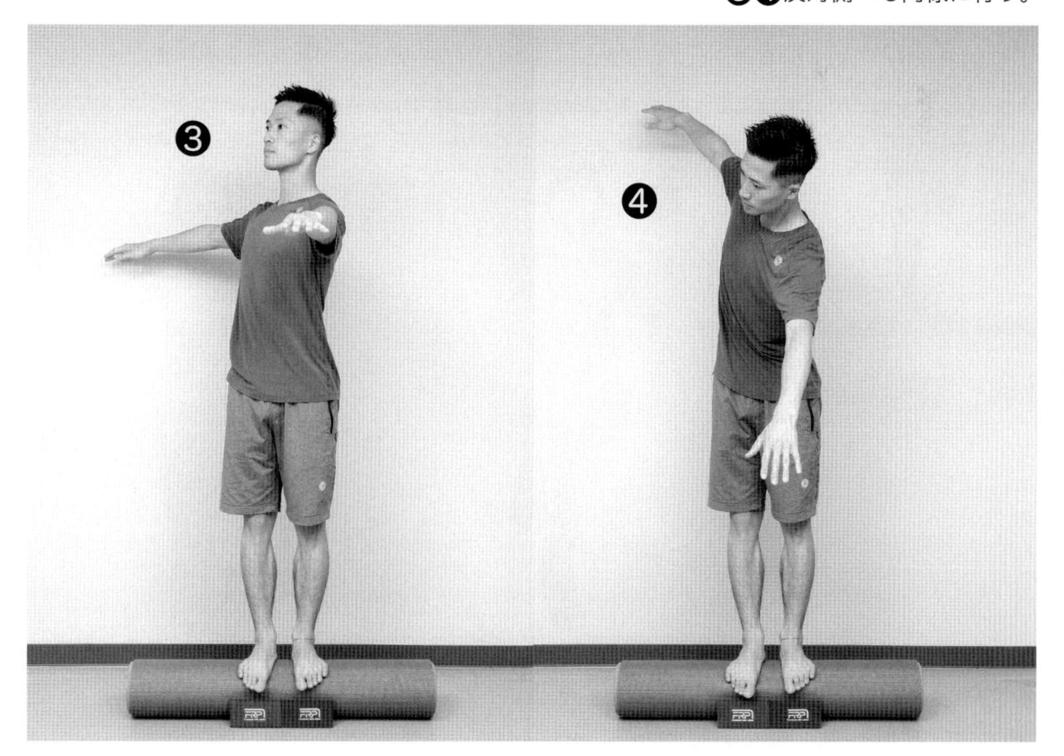

立位のエクササイズ５
レッグサークル（オンスタンディング）

目　的：バランス能力の向上，股関節の分離運動。

ターゲットとなる筋肉：腸腰筋，内転筋群，中殿筋，深層外旋六筋，足部の内在筋

注意点：
- 転倒に注意する。できるだけグリッポンベースを使用する。必要な場合は壁や手すりなどにつかまる。
- 鼡径部から動かし，骨盤が動かないようにする。

開始肢位：ローラーの上に両足をそろえて立つ。手は腰に置く。

動　作：
❶片脚の膝を曲げ，持ち上げる。

❷持ち上げた脚を内側に入れる。

❸そのまま膝を伸ばす。

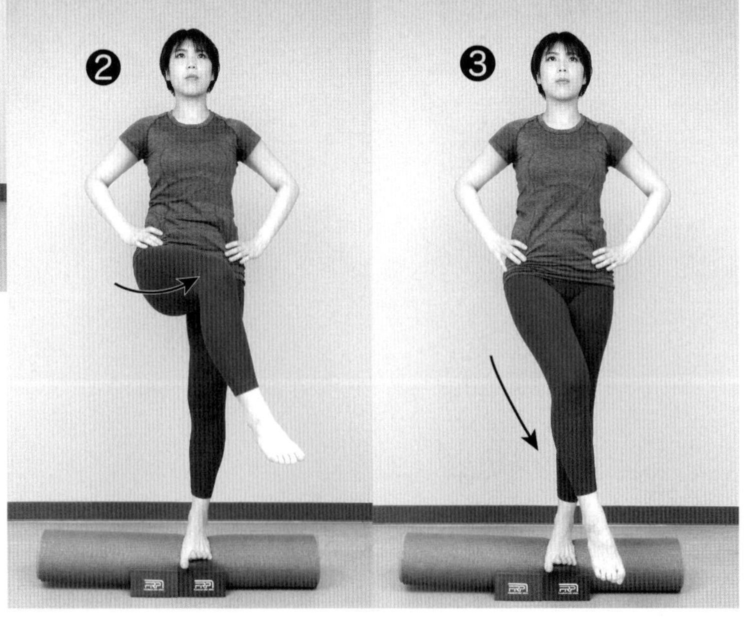

バリエーション1 膝を伸ばして行う。(強度を上げる)

バリエーション2 頭頂に両手を置いて行う。(脊柱の伸長を促す)

❹❺外から円を描くように膝を持ち上げて，❶へ戻る。リズミカルに行う

反対側でも同様に行う。

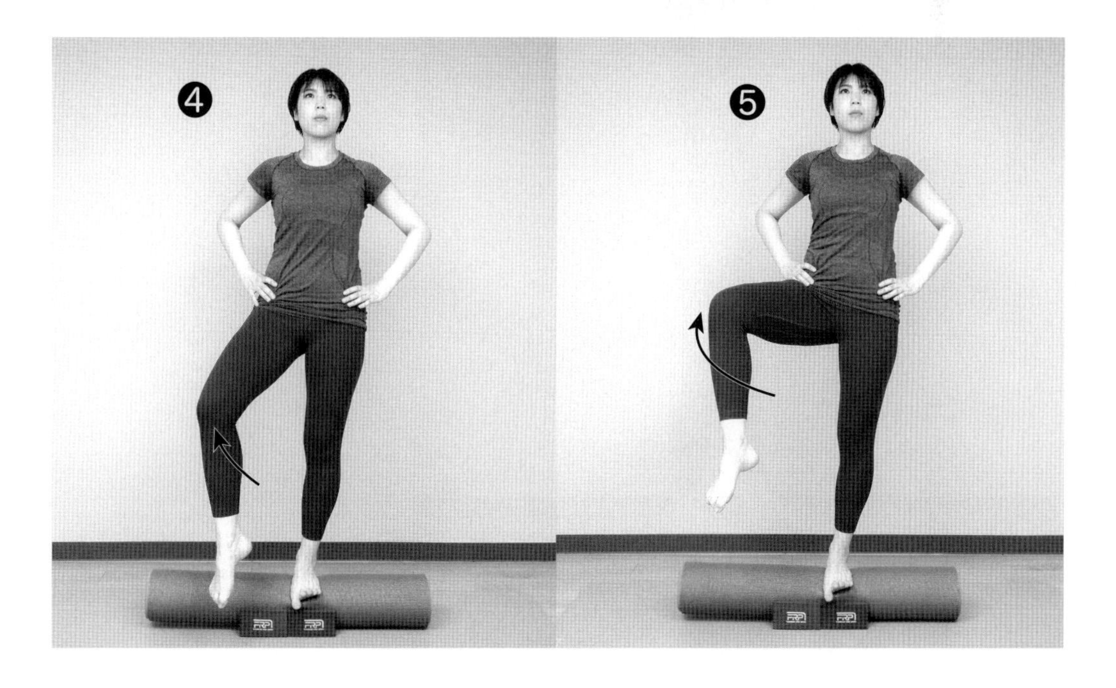

立位のエクササイズ 6

タンデムウォーク

目　的：体重移動を伴うバランス能力の向上，正中化，脊柱の伸長を促す。

ターゲットとなる筋肉：内転筋群，腹斜筋，腹横筋，腸腰筋，深層外旋六筋，前鋸筋

注意点：
- 転倒に注意する。できるだけグリッポンベースを使用する。必要な場合は壁や手すりなどにつかまる。

開始肢位：ローラーを縦に置き，その端に立つ。左右の足を前後に並べる。

動　作：
継ぎ足で前に進んでいく。

反対側の端まで到達したら，後ろ歩きで戻る。

バリエーション

歩きながら片脚立ちを保持する時間を長くする。
可能であれば，3～5秒保持する。

コラム5

ヒトと直立二足歩行

ヒトにあって他の動物にない機能に，直立二足歩行があります。片足立ちは，その機能の最たるもので，ヒトに一番近い類人猿にすら難しいことです。ヒトの足の骨格は，内側に入る構造をしており，重心の真下に足を持っていくことができるため，片足で立つことができるのです。

人の健康を考える時に，歩くことは最重要課題です。歩くことで心拍数が上がり，筋肉が働き，呼吸循環が促されます。リズム運動によって，精神的な安定に重要なセロトニンが分泌されます。歩く時はバランス能力を最大限に発揮するので，バランス機能も強化されます。また，歩くことで周りの風景が変わり，その環境の変化に対応することで，脳が活性化されます。歩くことは，健康に関する様々な要素に良好な影響を与えます。逆にいえば，ヒトは歩く動物なので，歩かないことは不健康なのです。

人は，歩く機能を生後12ヵ月で獲得してからは，当たり前にできることとして，これを顧みることはほとんどありません。しかし，歳をとったり障害を負うことにより，それまで当たり前にできていた歩くことが難しくなると，そのありがたさに突然気付かされることになります。これは，整形外科領域ではロコモティブシンドロームと呼ばれ，リハビリ領域では歩行機能障害と呼ばれます。杖や車椅子を使うことは他人事ではなく，誰でもそのような状態になりうるのです。

FRPは立位のエクササイズが豊富ですが，それはピラティスの創始者Joseph Pilates氏が千里眼的視座で発見した原理原則を，ヒトに最も大切な歩くという移動手段の中で構築するためです。ピラティスはヒトの動きの原則を明確化して再教育してくれる素晴らしいメソッドですが，この歩くという機能を高めることにつながるからこそ意義があります。このような理由により，FRPでは歩く機能につながるエクササイズを大切にしています。

立位のエクササイズ 7

ワンレッグ・スタンディング

目　的：バランス能力の向上，正中化。

ターゲットとなる筋肉：内転筋群，腸腰筋，腹斜筋，前鋸筋，足部の内在筋，前・後脛骨筋，下腿三頭筋

注意点：
- 転倒に注意する。できるだけグリッポンベースを使用する。必要な場合は壁や手すりなどにつかまる。

開始肢位：ローラーを前に置いて立ち，片足の土踏まずをローラーに乗せる。両腕を前に上げる。

動　作：

❶前の足でローラーを押しながら，後ろの足をつま先立ちにして，上に伸び上がる。

❷後ろの足を床から離し，前の足だけでバランスをとる。

バリエーション

体の捻りを加える。
❶ローラーに乗せた足と反対側の腕を前に出す。
❷〜❹体重を前に移動させながら，体幹を捻り，浮いている脚を前に出すと同時に，後ろにあった腕を前に出す。
❸→❶の動きで元に戻る。
（歩行動作に近づける）

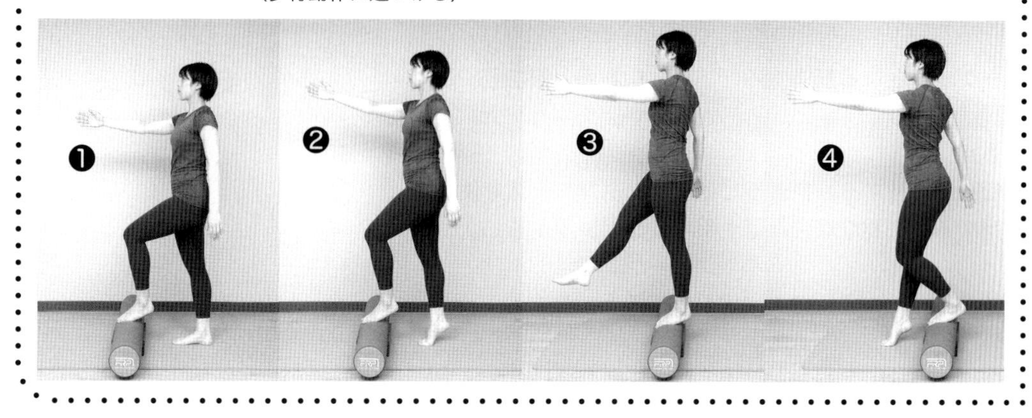

❸後ろの足を前に出す。

❹前に出した足を床につける。

❸→❶の動きで開始肢位に戻る。

反対側でも同様に行う。

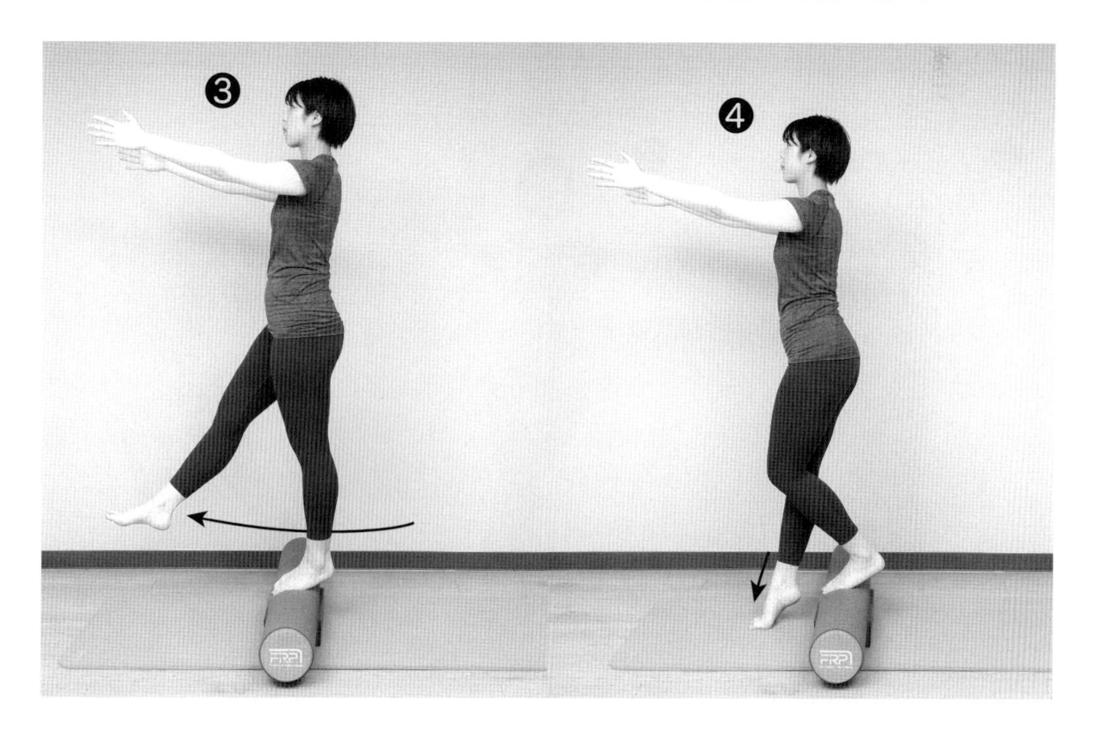

立位のエクササイズ8
スタンディング・アダクション

目　的：正中化，バランス能力の向上。

ターゲットとなる筋肉：内転筋群，中殿筋，腸腰筋

注意点：
- 転倒に注意する。できるだけグリッポンベースを使用する。必要な場合は壁や手すりなどにつかまる。

開始肢位：ローラーの上に両足をそろえて立つ。

動　作：
❶片脚を伸ばしたまま前に浮かす。

❷その脚を内転させ，正中を越えてクロスさせる。

❸その脚を外転させる。❷，❸を5回繰り返す。

バリエーション1

腕の動きを追加する。

❶基本動作の❶で脚を前に浮かす時に，腕を後ろに引く。

❷基本動作の❹で脚を後ろに浮かす時に，腕を斜め上に伸ばす。

バリエーション2

体幹の捻りを加える。

❶脚を前に浮かす時に，体を捻って反対側の腕を前に伸ばす。

❷脚を後ろへ浮かす時に，反対側の腕を後ろに伸ばす。

（歩行動作に近づける）

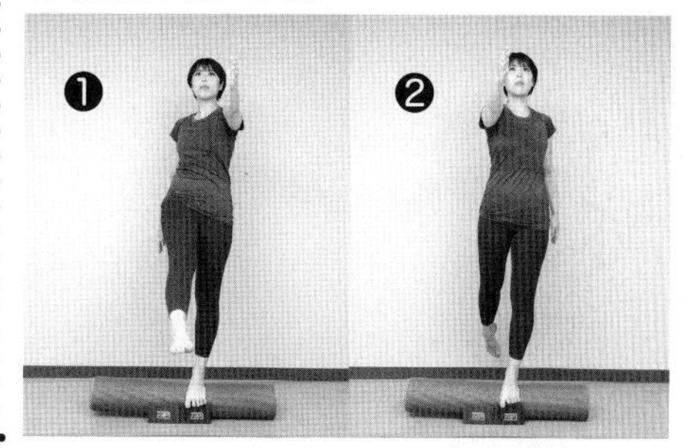

❹その脚を後ろに浮かす。

❺その脚を内転させ，正中を越えてクロスさせる。

❻その脚を外転させる。❺，❻を5回繰り返す。

反対側でも同様に行う。

立位のエクササイズ９

ハイランジ

目　的:正中化，脊柱の伸長，体幹と股関節の安定性向上。

ターゲットとなる筋肉：内転筋群，腸腰筋，下腿三頭筋

注意点：
- ローラーが滑って転倒しないように，ローラーを足でコントロールする。できるだけグリッポンベースを使用する。
- 踵が下がってしまい，つま先立ちができないようであれば行わない。

開始肢位：両足を前後に開いてつま先立ちにし，前の足の前方部分をローラーに乗せる。

開始肢位

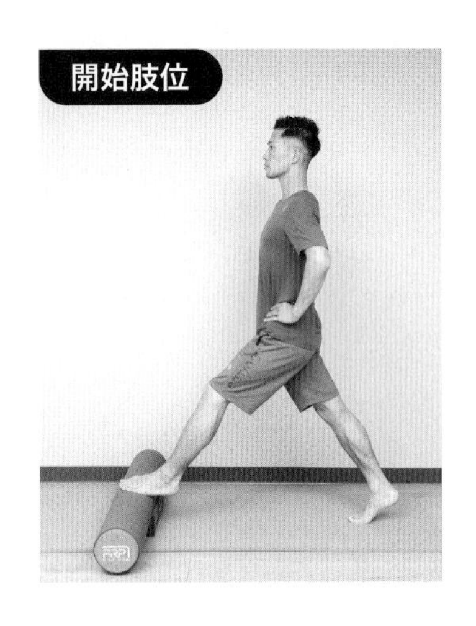

動　作：
前の脚の膝を曲げる。

開始肢位に戻り，５回繰り返す。

反対側でも同様に行う。

バリエーション１

捻りを加える。
前の膝を曲げる時に，反対側の腕を前に伸ばし，体幹を捻る。
（歩行動作に近づける）

バリエーション２

後ろの膝を曲げて床に近づける。
（後ろの膝への負荷が強いので，膝に不安がある場合は注意する）

立位のエクササイズ 10

ゲイトローテーション

目　的：歩行時の運動連鎖を促す。正中化。

ターゲットとなる筋肉：内転筋群，下腿三頭筋，腸腰筋，前鋸筋，下後鋸筋

注意点：
● 体が左右や前後にズレないように，正中化を意識して行う。

開始肢位：両足を前後に開いて立つ。後ろの足の外側に，前の足と並ぶようにローラーを位置させ，その上に近い側の手を置く。両足をつま先立ちにする。

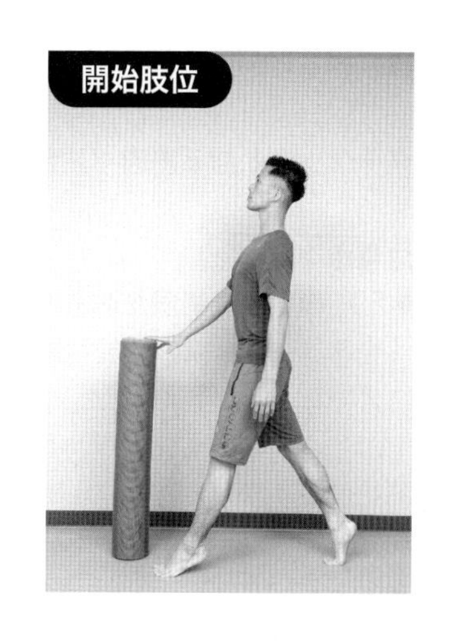

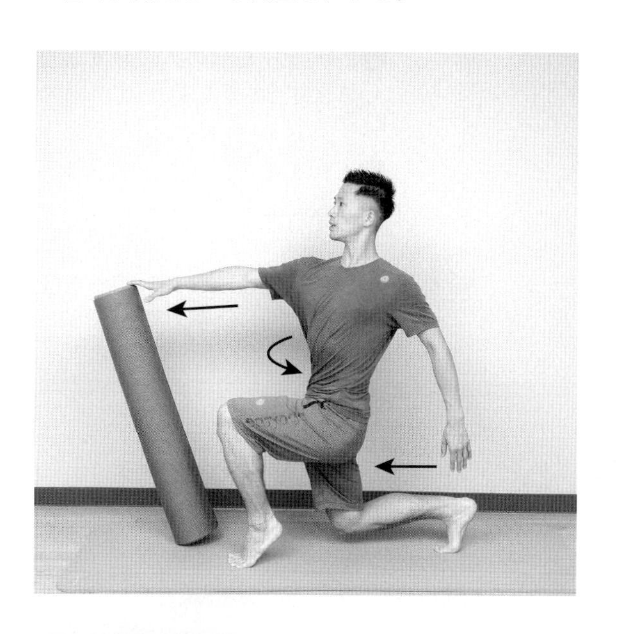

動　作：
ローラーに乗せている側の腕を伸ばし，上体を反対側に捻りながら膝を曲げる。

開始肢位に戻り，5 回繰り返す。

反対側でも同様に行う。

バリエーション

円を描く。
❶基本動作の開始肢位から，あいている腕を前から天井の方に伸ばし，ローラーに乗せている腕を後ろへ引く。
❷上に上げた手を後ろへ引きながら，体を捻り，ローラーに乗せた腕を伸ばす。
❸開始肢位に戻り，円を描くように動きを続ける。

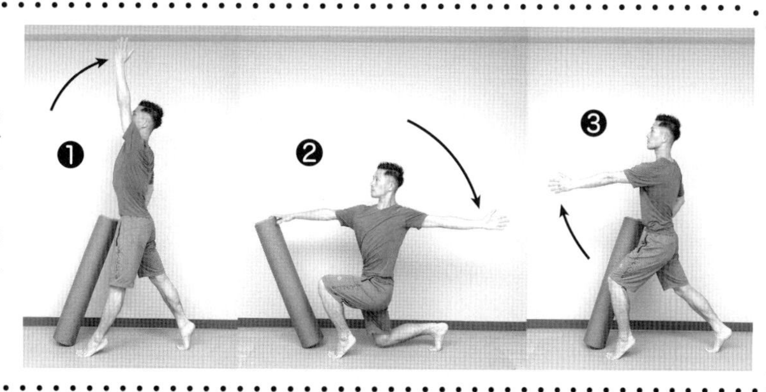

立位のエクササイズ 11

蹲　踞

目　的：足部機能の向上，バランス能力の向上。

ターゲットとなる筋肉：足部の内在筋，腸腰筋

注意点：
- 足趾の可動域制限がある場合，無理に行わないようにする。90° 近くの伸展可動域を必要とするエクササイズである。

開始肢位：マットの上にしゃがみ，両膝を可能なかぎり開く。ローラーを肩の高さで持つ。

開始肢位

動　作：

❶ローラーを隣の人に渡すように上体を片側に捻る。

❷上体を捻ったまま，ローラーを顔の上まで挙上する。

❸円を描くようにローラーを正中まで回し，挙上する。

バリエーション 1

足をそろえて行う。
両足をそろえて，基本動作を行う。
（足趾に焦点を合わせる）

バリエーション 2 片脚立ちで基本動作を行う。

❹反対側にローラーを渡すように上体を捻る。

❺反対側からローラーをゆっくり下ろす。

反対側へも同様に行う。

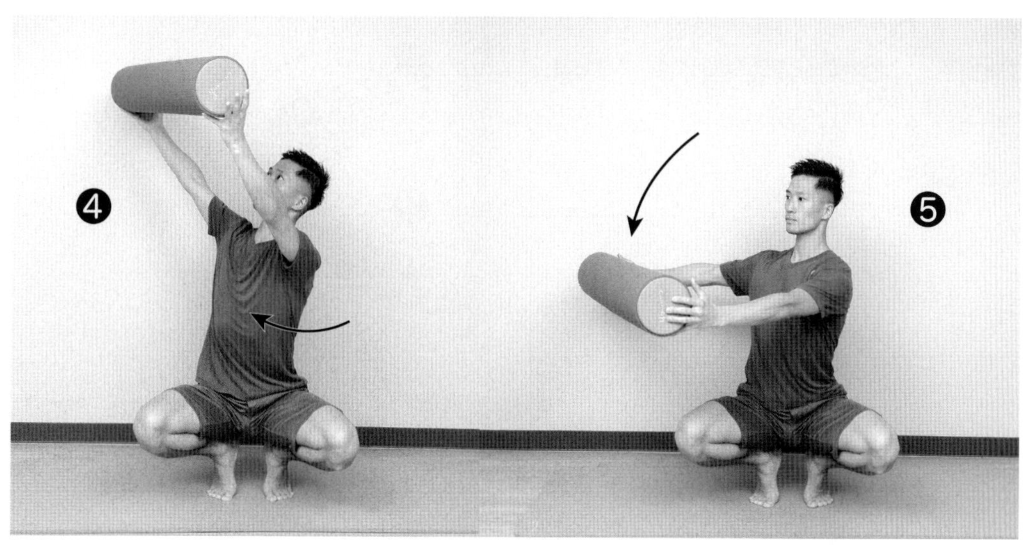

立位のエクササイズ 12
マルチフィダス

目　的：多裂筋と背面筋の動きを促す。

ターゲットとなる筋肉：多裂筋，脊柱起立筋，大殿筋，下腿三頭筋

注意点：
- ローラーが滑って転ばないように注意する。できるだけグリッポンベースを使用する。

開始肢位：足を前後に開いて立ち，両手を後頭部で組む。前の足をローラーに乗せる。

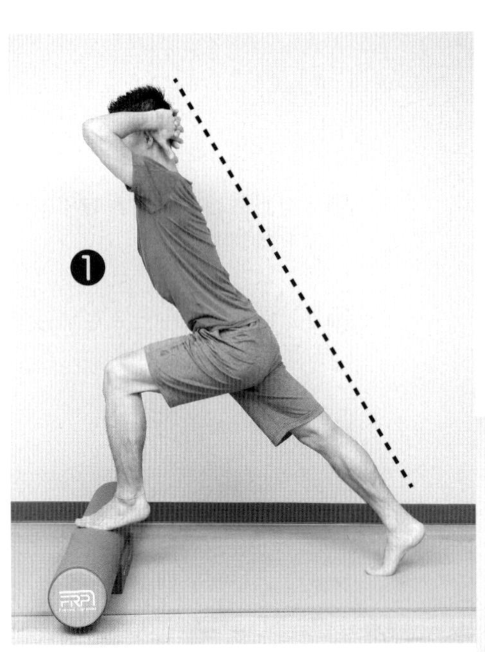

動　作：
❶体を前傾させ，後ろの足から頭頂までを一直線にする。

❷みぞおちから胸椎を屈曲し，背中を開く。腰椎の前弯を極力保つ。

バリエーション 1

片膝立ちで行う。
❶ローラーの上に膝立ちになり，前傾する。
❷片脚を後ろに伸ばし，足先から頭頂までを一直線にする。
❸背中を開く。
❹胸椎を反る。
❸，❹を何回か繰り返す。
（安定性を増す）

バリエーション 2

両膝立ちで行う。
❶ローラーの上に両膝立ちになる。
❷上半身を前傾させる。
❸背中を開く。
❹胸椎を反る。
❸，❹を何回か繰り返す。
（安定性を増す）

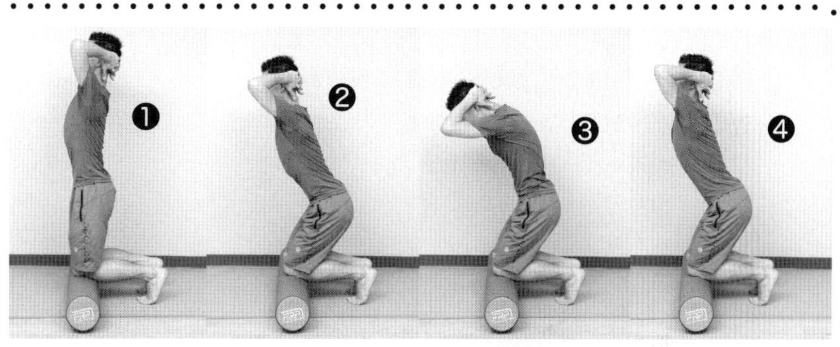

❸胸椎を反り，胸を開く。

❷，❸を 5 回繰り返す。

反対側でも同様に行う。

立位のエクササイズ 13

スタンディング・ローテーション

目　的：脊柱の伸長，正中化，歩行時の運動連鎖を促す。

ターゲットとなる筋肉：腸腰筋，前鋸筋，下後鋸筋，内転筋群，深層外旋六筋，腹斜筋，脊柱起立筋

注意点：
- 重心の位置が前後に動かないように，常に両足の中心にあるように意識する。

開始肢位：足を前後に開き，つま先立ちになる。ローラーを両手で持ち，頭上の視野の範囲内に上げる。

動　作：
上体を前の足の側（写真では右）に捻る。

開始肢位に戻り，5 回繰り返す。

反対側でも同様に行う。

バリエーション

ローラーに足を乗せる。
❶前の足をローラーに乗せ，両足をつま先立ちにする。
❷上体を前の足の側（写真では右）に捻る。左右の腕を遠くに伸ばすように意識することで，捻りを深める。

立位のエクササイズ 14

クロス・バランス

目　的：バランス能力の向上，腹斜筋の動きを促す。

ターゲットとなる筋肉：腹斜筋，前鋸筋，下後鋸筋，脊柱起立筋

注意点：
- ローラーを持つ腕の肘が曲がらないように注意する。常に遠くに伸ばす感覚で行う。

開始肢位：ローラーを体の前で持って立つ。片脚を外側に踏み出し，踵を浮かす。

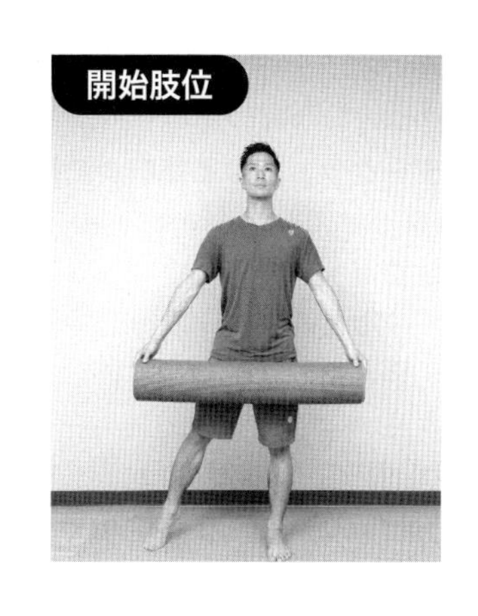

動　作：

❶踵をついている脚の側に体を捻りながら，ローラーを持っている腕を斜め後ろの上方遠くへ伸ばす。

❷後ろの足を浮かせ，体をさらに捻り，腕を伸ばす。3～5秒保持して，開始肢位に戻る。

5回繰り返し，反対側でも同様に行う。

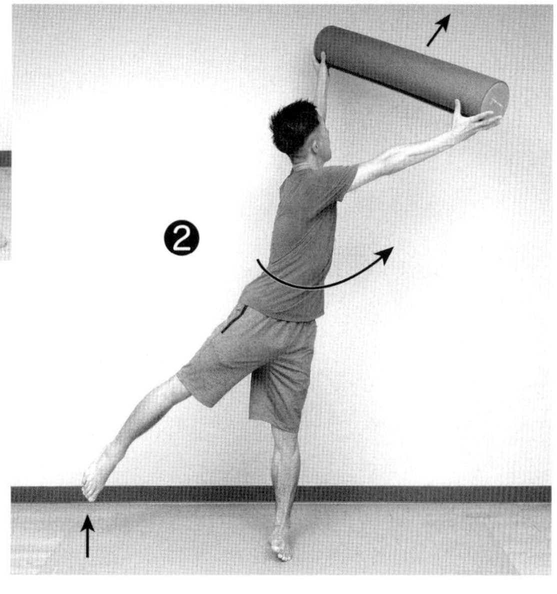

立位のエクササイズ 15

アンクル・セット

目　的：足部機能を向上させる。

ターゲットとなる筋肉：前脛骨筋，長腓骨筋

注意点：
- 中足骨底でローラーを押すよう意識し，土踏まずはつかないようにする。

開始肢位：壁際にローラーを置き，壁に向かって足を前後に開いて立つ。手を腰にあててバランスを取り，ローラーに前の足を乗せる。

足の位置：前の足の立方骨のあたりをローラーに押しあてる*。

動　作：
膝を軽く曲げ，バランスをとりながら足を押しあて続ける。

反対側でも同様に行う。

*立方骨のあたりをローラーに押しあてる。

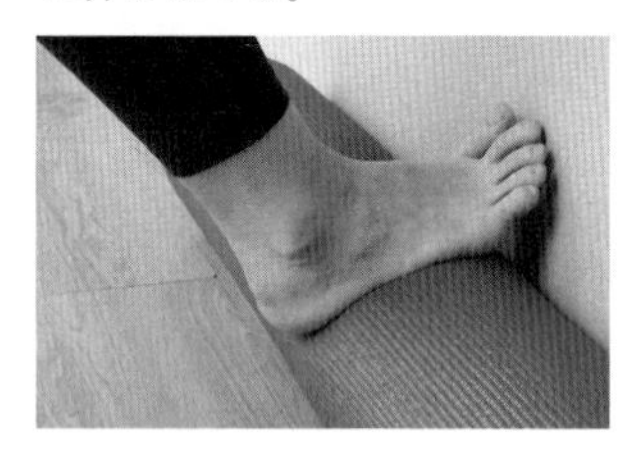

バリエーション

手を壁に置いて行う。（バランスを簡単にする）

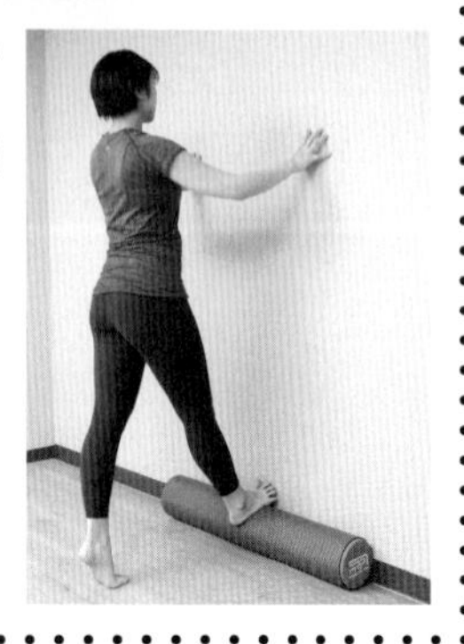

立位のエクササイズ 16

ジャンピング

目　的：足部機能を向上させる。脊柱の伸長を促す。

ターゲットとなる筋肉：下腿三頭筋，足部の内在筋

注意点：
- 膝に違和感や痛みがある場合は，ジャンプをせずに，つま先を浮かさない程度の軽い屈伸運動に止める。
- 着地する時に足裏全体をつけないようにする。

開始肢位：ローラーを前に置いて立ち，その上に両手を置く。

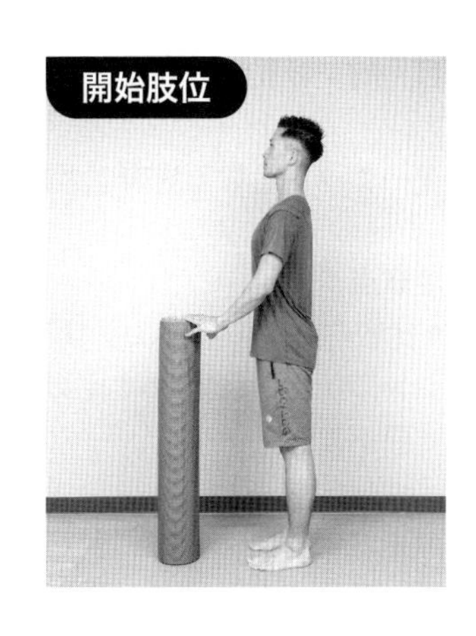

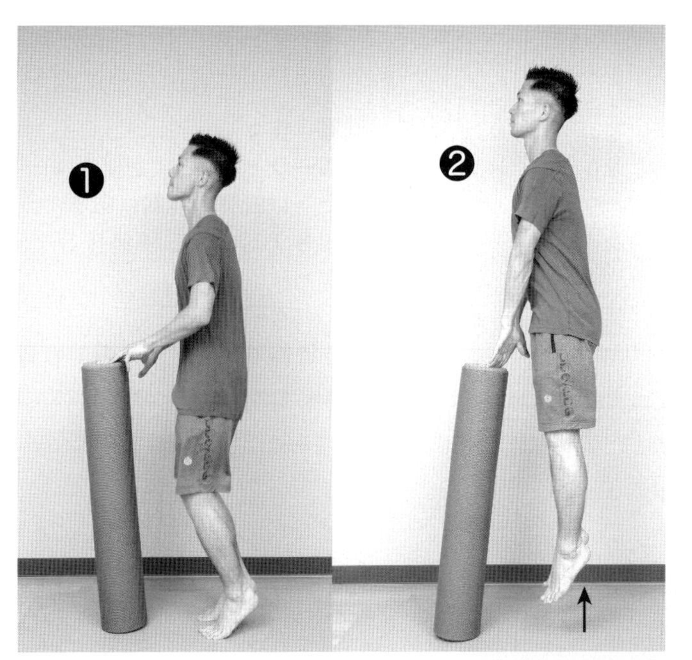

動　作：

❶膝を軽く曲げ，踵を上げる。

❷ジャンプする。着地する時は，踵を床につけないようにする。

リズムよく何回か繰り返す。

バリエーション　片脚で行う。（強度を上げる）

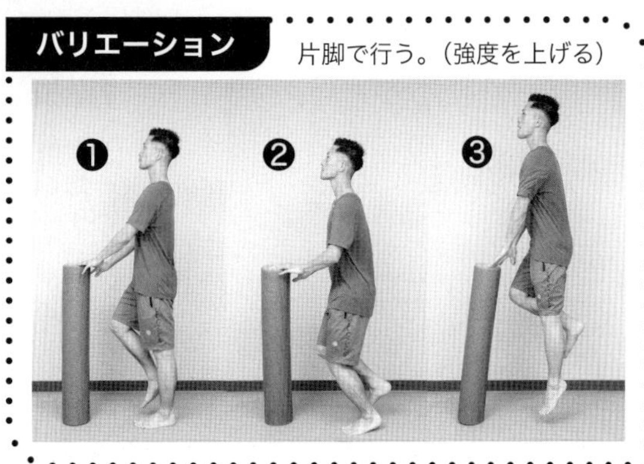

立位のエクササイズ 17

ディボウト

目　的：背筋群の動きを促す。脊柱の伸長を促す。

ターゲットとなる筋肉：大殿筋，多裂筋，脊柱起立筋

注意点：
- 比較的負荷の強いエクササイズであるため，クライアントの状態に合わせて足の幅，動きの範囲を調節する必要がある。

開始肢位：足を前後に開いて立ち，両腕を伸ばしてローラーを体の前で持つ。前傾し，頭頂から後ろの足までを一直線にする。後ろの足の踵を上げる。

開始肢位

動　作：
ローラーを頭上に上げる。ローラーは視野の範囲にあるようにする。3～5 秒保持して，開始肢位に戻る。

5 回繰り返し，反対側でも同様に行う。

バリエーション

上体を前の足の側に捻る。

立位のエクササイズ 18

サーヴィング

目　的：体幹回旋の動きを促す。バランス能力を向上させる。

ターゲットとなる筋肉：前鋸筋，下後鋸筋，腹斜筋

注意点：
- ローラーが転がって転倒しないように注意する。できるだけグリッポンベースを使用する。

開始肢位：足を前後に開いて立つ。ランジの状態で，前の足をローラーに乗せ，両手を前に出して左右の手のひらを重ねる。前の足の側の手が上になるようにする。

動　作：
前の足の側（写真では左）に体を捻りながら，捻った側の肘を引く。前腕は回内させる。

5 回繰り返し，反対側でも同様に行う。

立位のエクササイズ 19

ムゲン

目　的：股関節の柔軟性を向上させる。

ターゲットとなる筋肉：中殿筋，腸腰筋

注意点：

- 比較的負荷の強いエクササイズであるため，クライアントの状態に合わせて足の幅，動きの範囲を調節する必要がある。

開始肢位：両足を左右に大きく開いて立ち，膝を曲げる。ローラーを体の前で持つ。

動　作：

❶ローラーを左後ろに持っていきながら，上体を左に捻る。

❷ 8 の字を描くように，ローラーを前に持ってくる。

バリエーション つま先立ちで行う。（強度を上げる）

❸❹反対側へも同様に行う。

立位のエクササイズ 20

ソラシック・サークル

目　的：胸椎の柔軟性を向上させる。

ターゲットとなる筋肉：腹斜筋，胸棘筋，胸横筋，下後鋸筋，腸腰筋

注意点：

- 腰を大きく動かすと腰椎への負担が大きくなるため，胸椎の動きを中心とする。

開始肢位：両足を左右に大きく開いて立ち，膝を曲げる。ローラーを頭上で持ち，腕を伸ばす。

動　作：

❶片側に上半身を倒す。

❷腕を遠くに伸ばしながらローラーを前に回す。

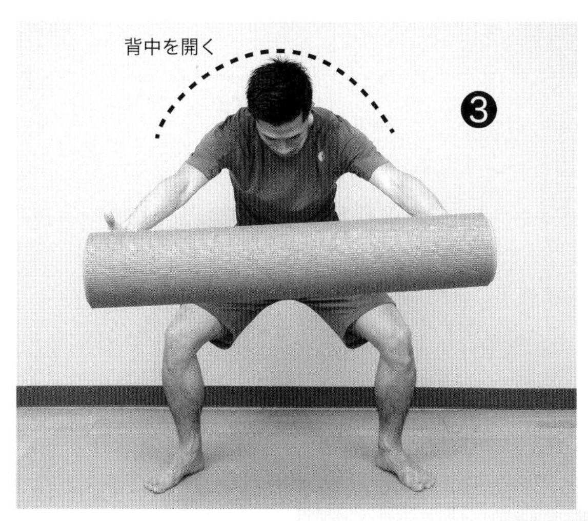

❸背中を開いて胸椎の後面を伸ばす。

❹❺腕を遠くに伸ばしながら，ローラーを反対側へ回す。

体側を伸ばし，開始肢位に戻る。

反対側へも同様に行う。

立位のエクササイズ 21

バック・ステップ

目　的：下肢の伸筋の動きを促す。

ターゲットとなる筋肉：下腿三頭筋，大腿四頭筋

注意点：
●壁にローラーを押し付けるようにして行う。

開始肢位：壁際にローラーを置き，それを背にして立つ。足を前後に開き，後ろの足のつま先をローラーにあて，ローラーを壁に押し付ける。

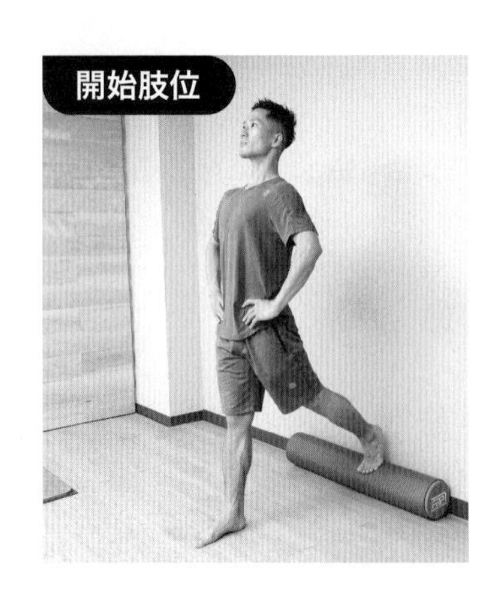

動　作：
❶後ろの脚の膝を曲げ，重心を後ろにかける。踵を上げたまま保持する。

❷後ろの足でローラーを押して，重心を前に移動させる。

反対側でも同様に行う。

立位のエクササイズ 22

プラム・チェック

目　的：アライメントの確認，脊柱の伸長，正中化。

ターゲットとなる筋肉：抗重力筋（多裂筋，大腿四頭筋，脊柱起立筋，腸腰筋など）

注意点：
- ローラーが滑って転ばないように注意する。できるだけグリッポンベースを使用する。
- 不安定な場合は，つかまれるよう壁などの側で行う*。
- 視線が下がらないように，遠くを見て行う。

開始肢位：ローラーのピークに立つ。第５中足骨底の後方がローラーにあたるようにする。足趾を軽く反らし，ローラーから浮かす。土踏まずも可能な限りローラーから浮かす。

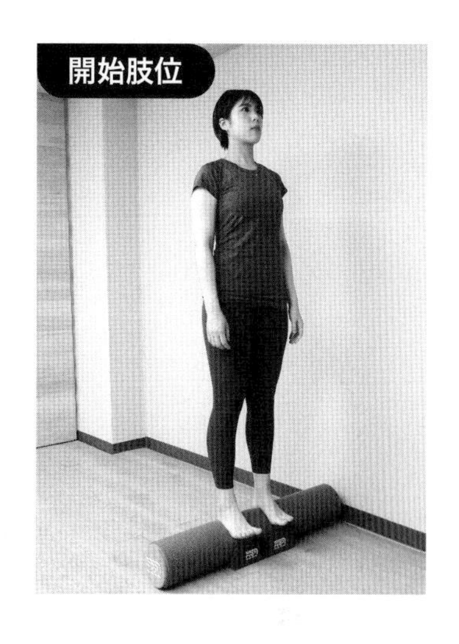

動　作：
バランスをとりながら，膝を軽く曲げ，リズムよく弾ませる。

ポイント：
- 膝を伸ばす時にローラーを押し，その反動で頭頂を天井に向かって伸ばすように行う。
- 腕には力を入れないように，リラックスさせておく。

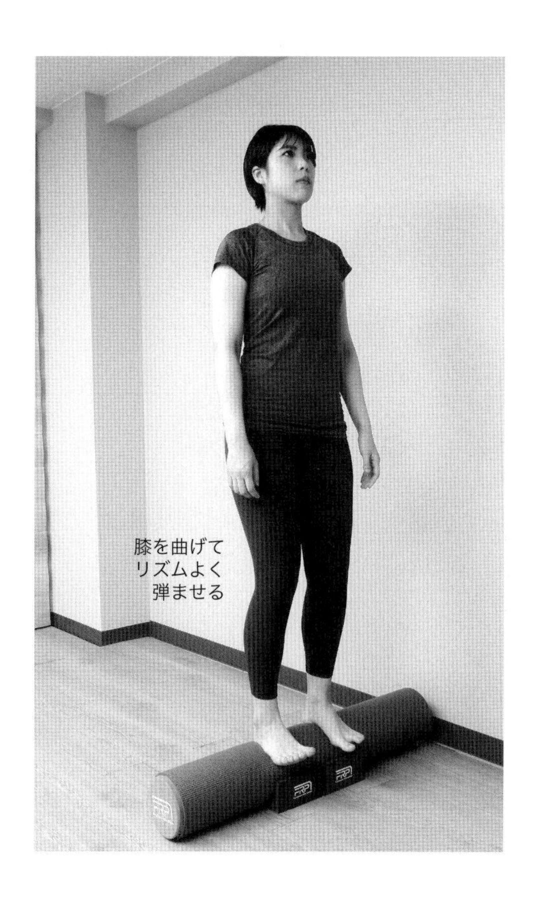

*不安定な場合は壁の側で行う。

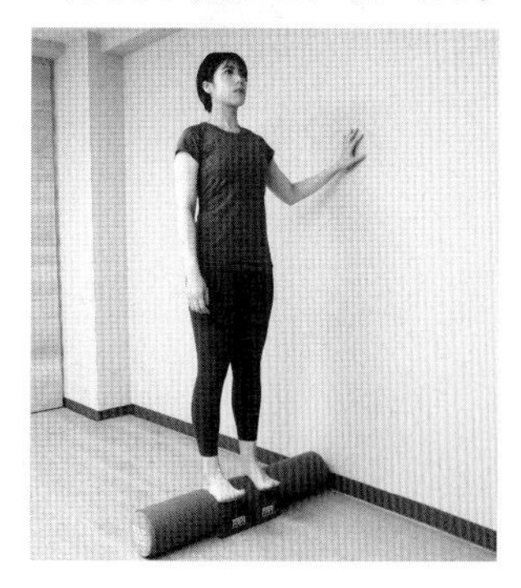

コラム 6

肩甲骨と胸椎

肩甲骨の動きは肋骨を介して胸椎に影響を与えます。以下にいくつか例を示します。

例：肩甲骨の外転→胸椎の屈曲

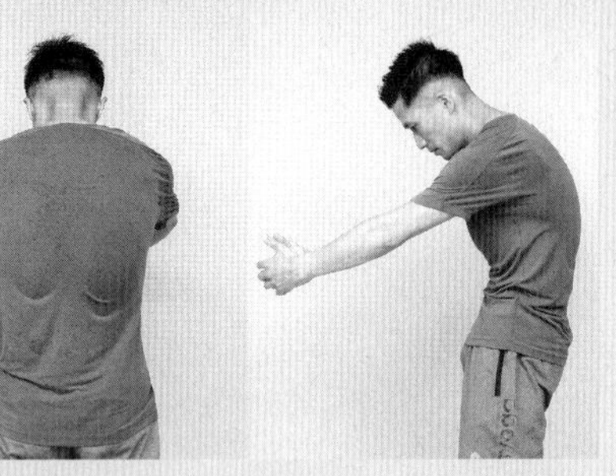

例：肩甲骨の内転→胸椎の伸展

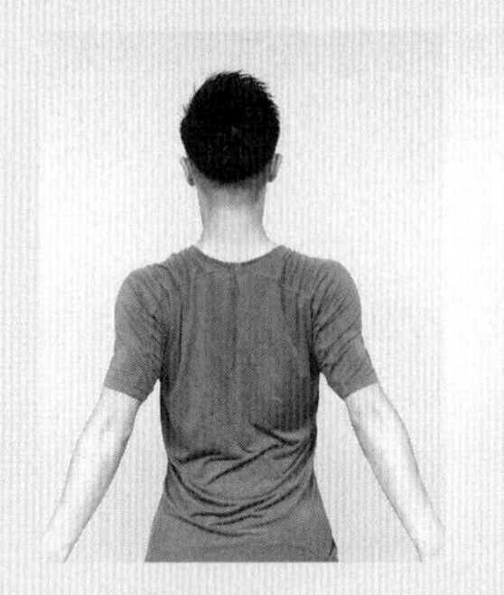

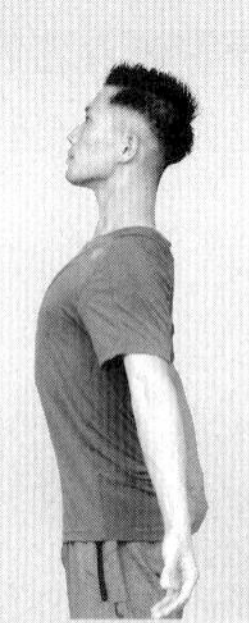

例：一方の肩甲骨挙上＋他方の下制→胸椎の側屈

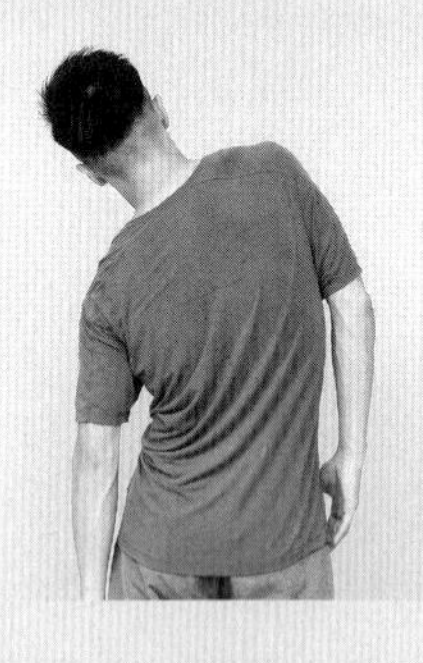

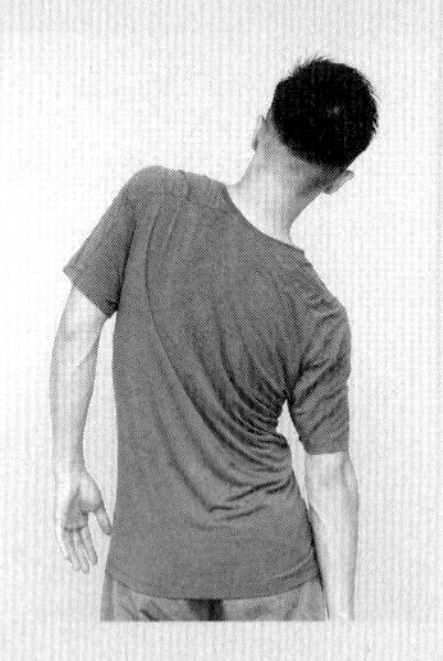

例：一方の肩甲骨外転＋他方の内転→胸椎の回旋

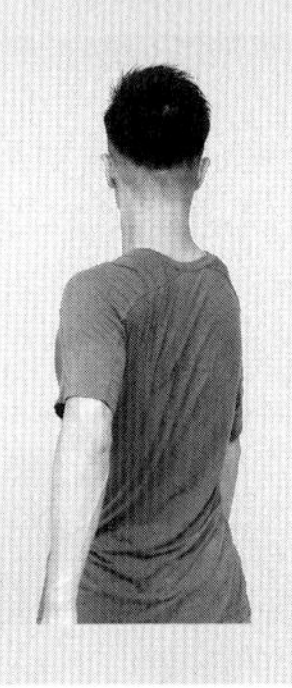

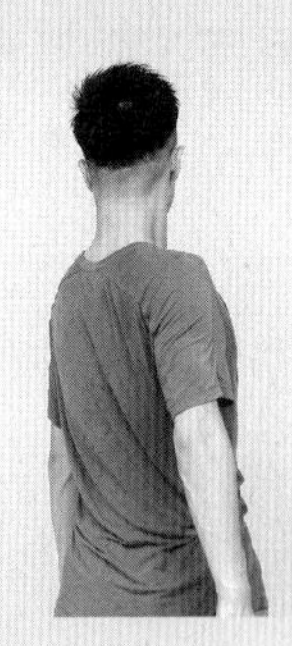

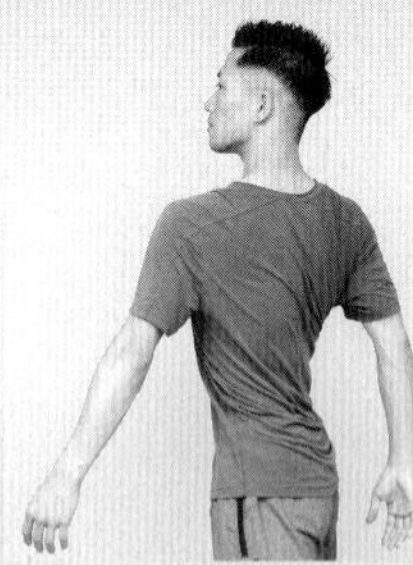

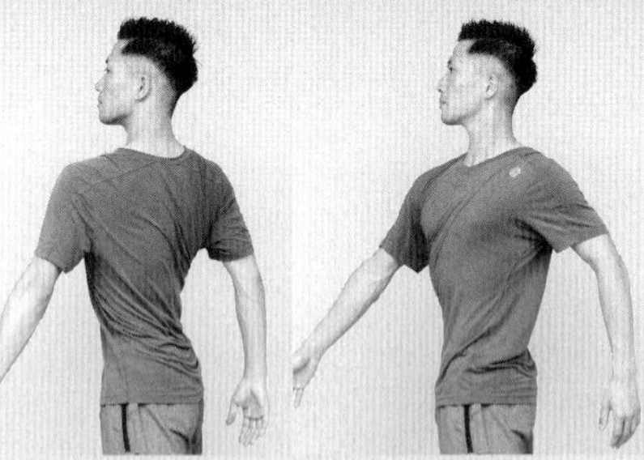

VI
セルフストレッチとマッサージ

1
セルフストレッチ

気持ちよく30秒程度伸ばせる強度で筋肉を伸ばす。朝起きた時に伸びをするような感覚で，気持ちよく伸ばす。

1.1　胸鎖乳突筋，斜角筋，僧帽筋，肩甲挙筋のストレッチ

❶ローラーの上に座る。両手をローラーのエッジ（端）にあて保持する。足は楽な肢位をとる。

❷頭を左へ傾ける。右手をローラーのエッジにあて，頭の重さと，腕を伸ばすことにより，首の筋肉を伸ばす。

❸頭を右へ傾ける。左手をローラーのエッジにあて，首の筋肉を伸ばす。

バリエーション 1

基本動作❷，❸で，伸びている筋肉を，反対側の手の甲を使って上から下に優しくさする。筋肉を弛緩させることが目的である。

バリエーション 2

基本動作❷, ❸から, それぞれ斜め上を見ることで, 首の斜め前（斜角筋）を伸ばす。

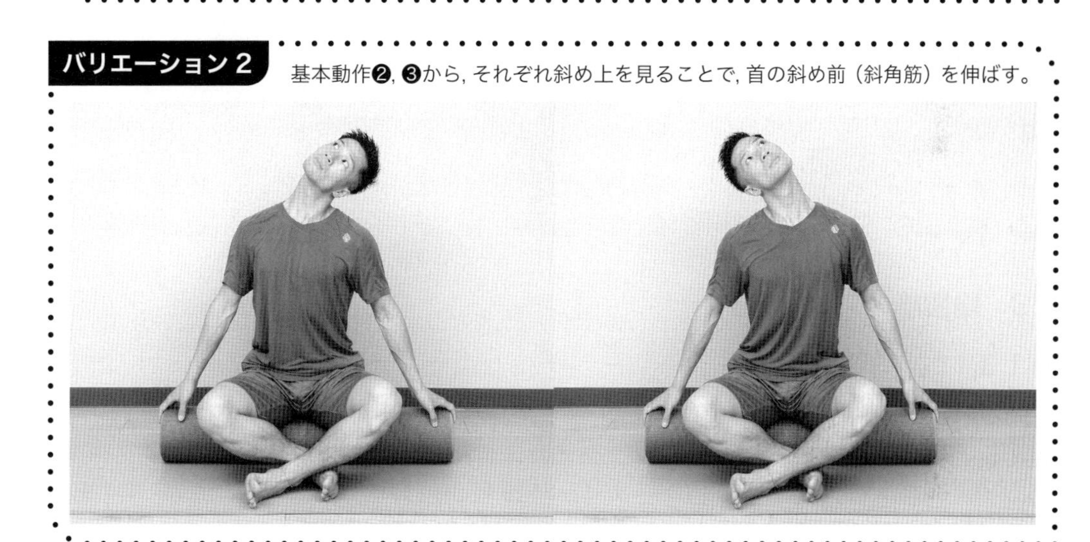

バリエーション 3

基本動作❷, ❸から, それぞれ斜め下を見ることで, 首の斜め後ろ（僧帽筋）を伸ばす。

1.2　大腿四頭筋のストレッチ

❶マットの上に片膝立ちになり，後ろの脚を伸ばして，ローラーに膝の上を乗せる。上体を起こして鼡径部を伸ばす。

❷自力で後ろの脚の膝を曲げ，10 秒保持する。（相反神経抑制）

❸手を使って後ろの膝を軽く曲げる。膝が伸びようとするのを手で止める。10 秒保持し，リラックスする。

＊腰が反りすぎないよう注意する。

1.3　腸腰筋のストレッチ

◆ 1.3.1

❶マットの上に片膝立ちになり，後ろの脚を伸ばして，ローラーに膝の上を乗せる。上体を起こして鼡径部を伸ばす。

❷片手を天井の方に上げ，体側を伸ばす。

❸伸びている股関節と逆側に体を倒し，左右の腕を上下に伸ばす。体をやや後方へ倒して，鼡径部からみぞおちまでの伸張を感じる。

◆ 1.3.2

❶マットの上に片膝立ちになり，後ろの脛にローラーをあてる。

❷マットについている膝を浮かせ，脚を遠くに伸ばす。鼡径部の伸張を感じる。

1.4 内転筋と体側のストレッチ

◆ 1.4.1

❶マットの上に膝立ちになり，一方の脚を横に伸ばし，ふくらはぎの下にローラーを位置させる。

❷伸ばしている脚の方に上体を倒す。縮まる方よりも伸びる方を強調する（コラム 1 参照)。

◆ 1.4.2

❶マットの上で長座位になり, 左右に開脚する。ローラーを背後で押しつつ, 骨盤を起こす。

❷上体を伸ばしたまま前に倒す。

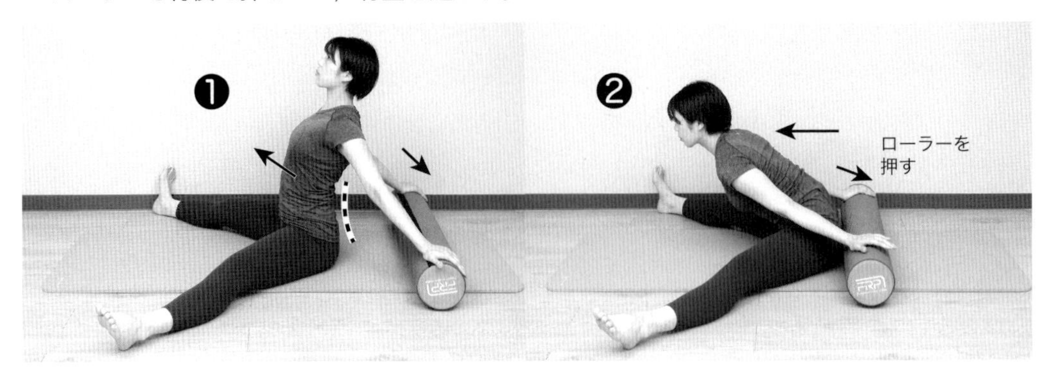

◆ 1.4.3

❶マットの上で長座位になり, 左右に開脚する。前に置いたローラーの上に両手を置き, 上体を起こす。

❷ローラーを転がしながら, 上体を前に倒していく。その時に背中を伸ばすように意識する。その後, ローラーを下方に押しながら, 背中をさらに伸ばす。

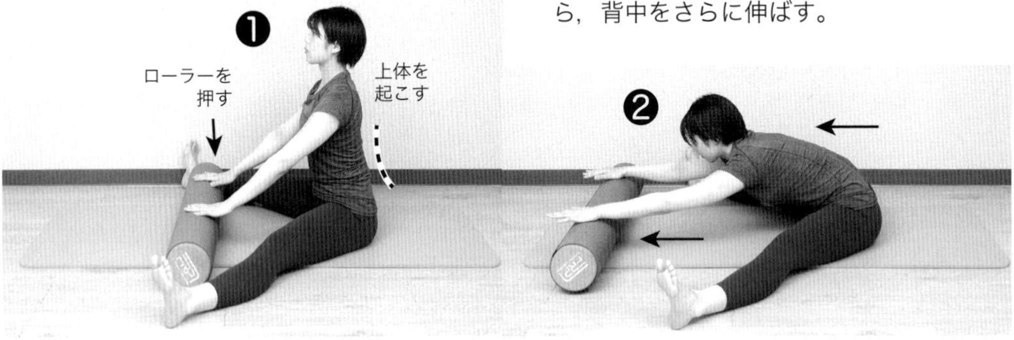

1.5 中殿筋, 大腿筋膜張筋, 腰方形筋のストレッチ

両手をローラーに乗せた四つ這い位から, 左を向きながら左脚を立て, 右脚は伸ばす。左手を腰に置き, 右手で体を支え, 右の殿部外側を床に近づける。反対側でも同じように行う。

1.6 ハムストリングのストレッチ

◆ 1.6.1

❶マットの上につま先を立てて正座し，片脚を前に伸ばす。伸ばした脚のアキレス腱の部分にローラーを位置させる。

❷前屈するとともにローラーを手で押し，殿部を後ろに引く。

＊膝の過剰な伸展とオーバーストレッチに注意。

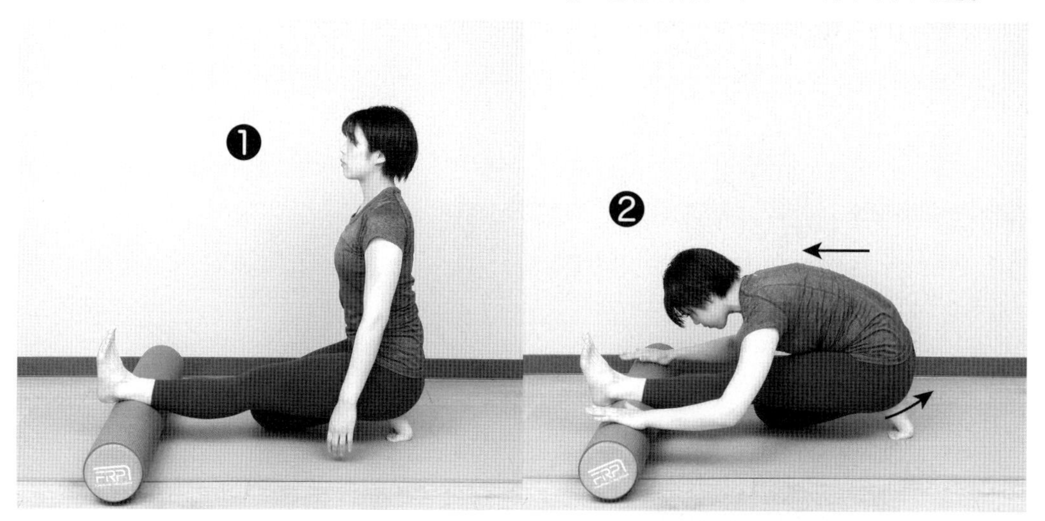

◆ 1.6.2

❶マットの上に膝立ちになり，一方の脚を前に伸ばしてローラーの上に乗せ，背中をまっすぐにする。

❷余裕があれば，前屈しながら殿部を後ろへ引く。

＊膝の過剰な伸展とオーバーストレッチに注意。

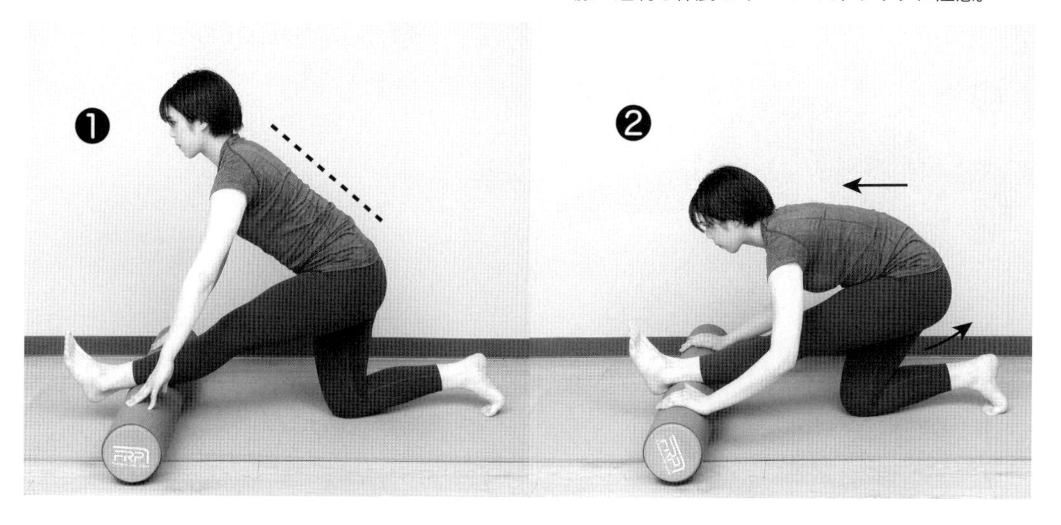

1.7　下腿三頭筋のストレッチと坐骨神経のフロッシング*

◆ 1.7.1

❶左右の足を前後に開いてマットの上に立つ。前の足の指の付け根をローラーに乗せ，足首を反らす。

❷両手をローラーにつき，体重を前に移動させながら，前屈する。

❸余裕があれば後ろの足をマットから浮かす。

＊フロッシング（flossing）：神経の通過性を改善する方法。

◆ 1.7.2

❶マットの上に背臥位になり，ローラーに頭を乗せ，膝を立てる。片脚を持ち上げ，両手で足首を持つ。

❷足首を自分の方に向かって反る。伸び感はあっても痛くない範囲で行う。足首を持てない場合は，膝を曲げて行う。

1.8　斜角筋のストレッチ

❶ローラーの上で背臥位になる。

❷右へ振り向くようにして，左の首を伸ばす。

❸同様に右の首を伸ばす。

1.9 大胸筋のストレッチ

◆ 1.9.1

❶ローラーの上に背臥位になり，両手を頭上に伸ばす。

❷肘を曲げ，両手を床の上を滑らせながら下ろしてくる。

❸曲げた肘をローラーに近づけ，胸を開く。

◆ 1.9.2

❶マットの上に正座し，ローラーのエッジを持ち頭上に上げる。

❷肩甲骨を中心に寄せながらローラーを下ろし，胸を張る。可能なら肘の高さまで下ろす。

＊肩の前に痛みを感じる場合は，動く範囲を狭める。

1.10 菱形筋のストレッチ

❶マットの上に四つ這いになり，ローラーを体の横に置く。その上に反対側の手の甲を乗せる。

❷ローラーを転がしながら背骨を捻り，背中を開く。

1.11 肩関節外旋筋（棘下筋，小円筋）のストレッチと内旋筋（肩甲下筋）の筋力強化

❶マットの上に正座し，ローラーを両手で背面に持つ。

❷ローラーを右に上げながら，左肩関節を内側に回す（内旋する）。

❸反対側へも同じように行う。

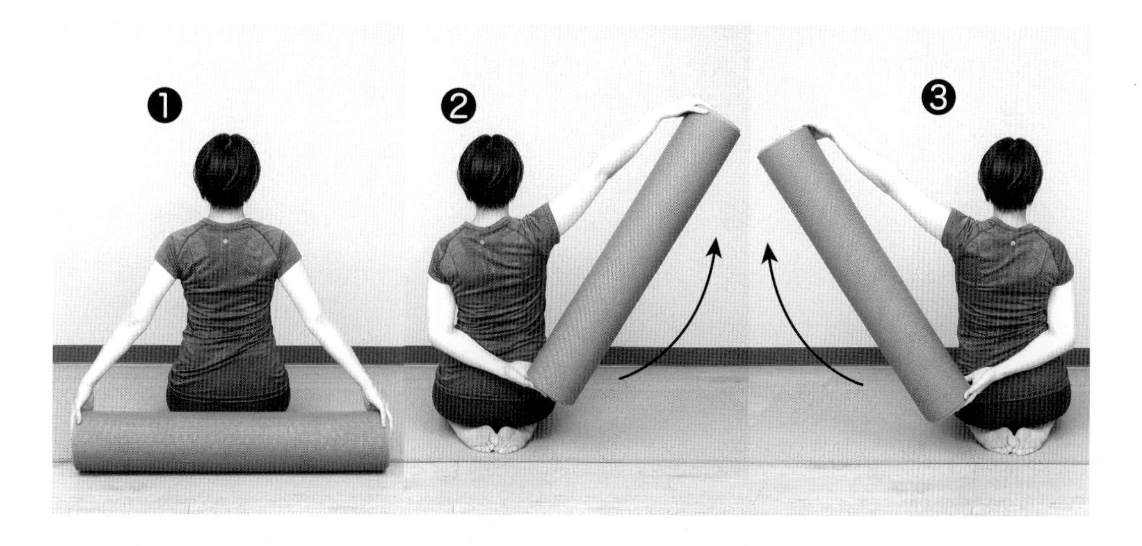

1.12　肩関節内旋筋（肩甲下筋）のストレッチと外旋筋（棘下筋，小円筋）の筋力強化

❶マットの上に正座する。両手でローラーのエッジを持ち，肘を曲げる。

❷脇を締め，背中を広げる。

1.13　肩関節回旋筋群のストレッチと筋力強化

❶マットの上に正座する。肘を曲げてローラーを体の前で持つ。

❷体幹は動かさずに，肩関節でローラーを横にスライドさせる（左肩関節の外旋，右肩関節の内旋）。

❸反対側へも同じように行う。

1.14 手首のストレッチ

◆ 1.14.1

❶マットの上に正座する。ローラーに片手を返して乗せ，軽く押して手の前面（手関節の屈筋群）を伸ばす。

❷肘を曲げ，指の付け根を曲げ，指を伸ばす。

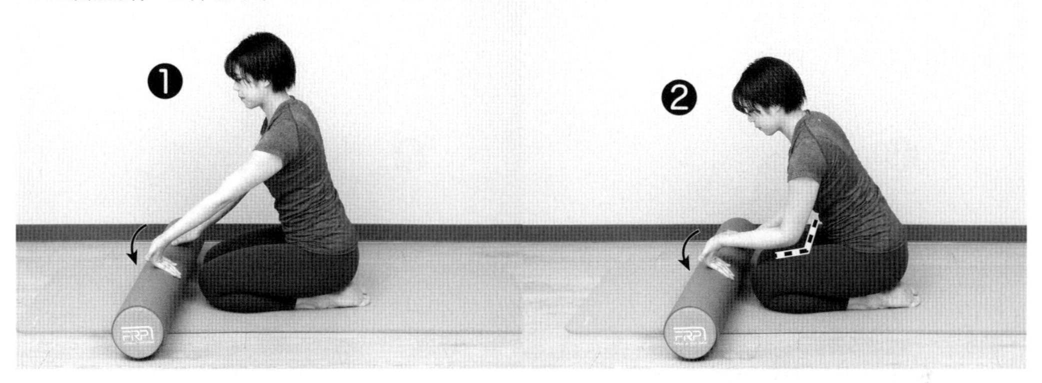

◆ 1.14.2

手の甲をローラーにあて，手関節の伸筋群を伸ばす。

1.15 親指のストレッチ

親指を返してローラーにあて，親指の屈筋群を伸ばす。

1.16　足首のストレッチ

❶マットの上に正座し，片脚を持ち上げ，足の甲を伸ばす。重心が小指側にズレやすいため，足関節の正中を保持するよう意識する。
反対側でも同様に行う。

❷可能であれば，両足の甲を同時に伸ばす。

1.17　体の前面筋，広背筋のストレッチと胸椎の伸展を促す

◆ 1.17.1

❶マットの上に膝立ちになり，ローラーを前に立て，その上に両手を乗せる。

❷肘を曲げ，ローラーにぶら下がるように股関節を曲げ，上体を前に移動させる。視線はローラーの上のエッジに向ける。

❸可能なら肘を伸ばす。

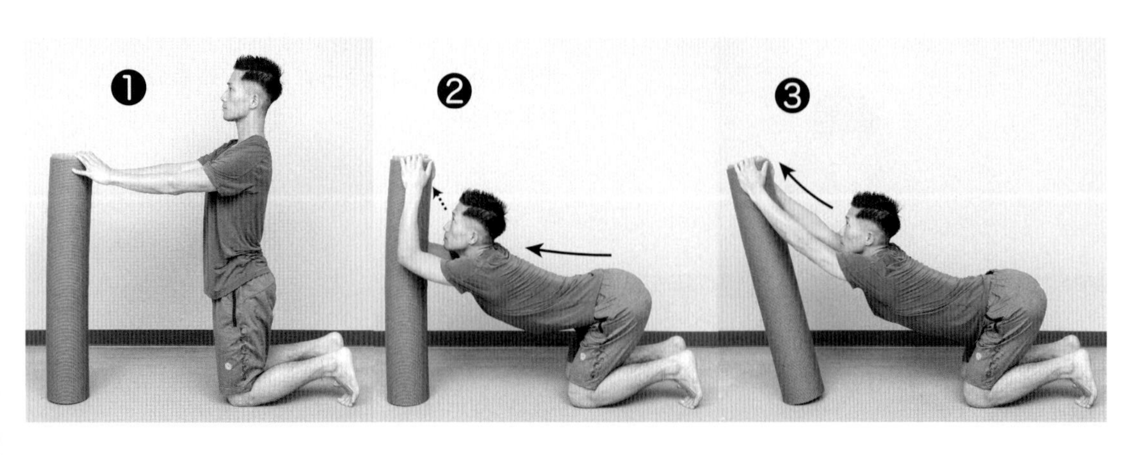

◆ 1.17.2

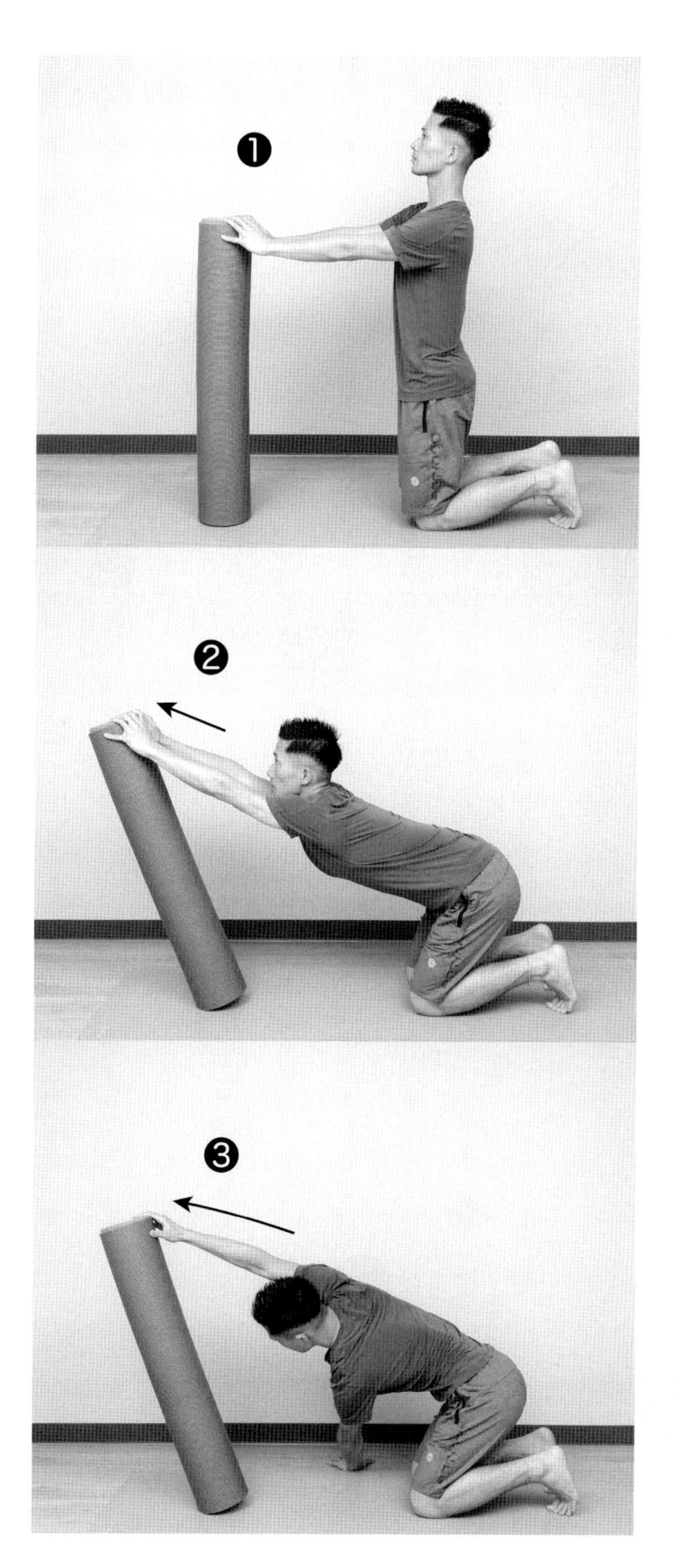

❶膝立ちになり，ローラーを前に立て，その上に両手を乗せる。

❷ローラーを前に押しながら，股関節から前屈し，体の前面を伸ばす。視線は下げずにローラーに向ける。

❸左手を床に置き，右腕を左斜め前に伸ばす。

反対側も同様に行う。

◆ 1.17.3

❶マットの上に正座し，両手でローラーの片方のエッジを持つ。

❷肘を天井に向かって伸ばしながら，ローラーを後ろに倒す。

❸ローラーを床につき，軽く押しながら，胸椎の伸展を促す。

◆ 1.17.4

❶横にしたローラーの端に両手を置き，腕立て伏せの姿勢になる。腰を反らないように，腹筋を意識する。

❷ローラーを押しながら，膝と股関節を曲げ，殿部を手と反対の方向に伸ばす。視線は下げずにローラーに向ける。

◆ 1.17.5

❶マットの上に四つ這いになる。小指側を下にして，片手（写真では左）をローラーに乗せる。

❷上体を低くするようにして，ローラーに乗せた腕を前に転がす。同時に，体をやや右へ回旋し，左の腋の下を伸ばす。

反対側も同様に行う。

◆ 1.17.6

❶正座から開脚し，骨盤を起こす。ローラーを前に置き，その上に両手を乗せる。

❷ローラーを前に転がしながら，股関節から前屈する。

1.18　体の背面筋のストレッチ

❶マットの上に膝立ちになり，ローラーを前に立て，その上に両手を乗せる。

❷ローラーを下方に押しながら，みぞおちを背中の方向に押し込み，背面を伸ばす。

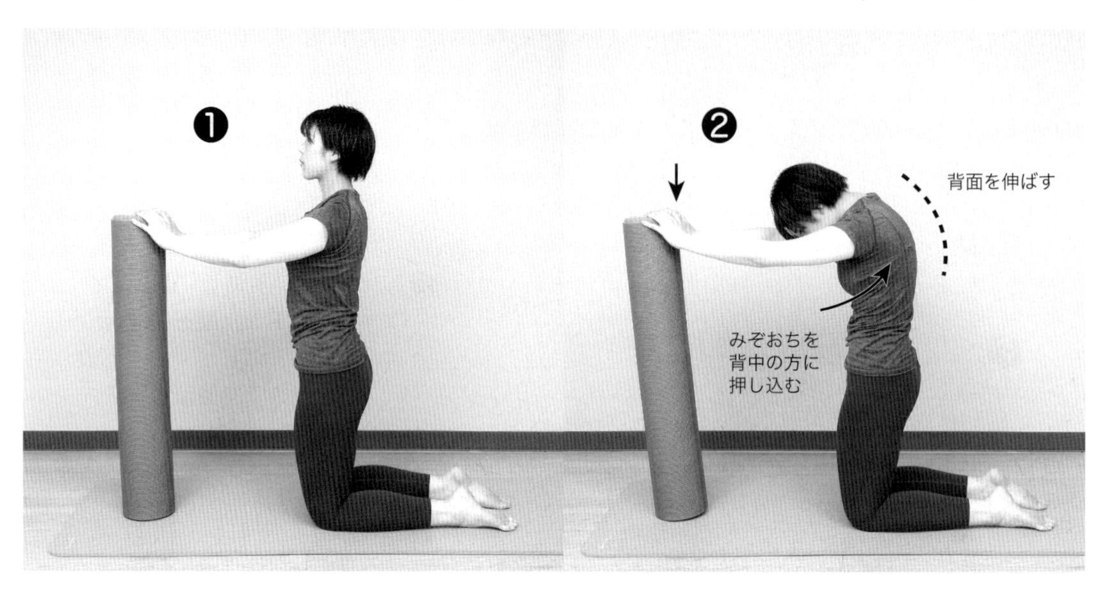

1.19　腰椎の牽引

❶マットの上に正座し, 肘の下にローラーを位置させる。

❷両手をマットにつき，上体を前に倒し，肘でローラーを後ろに押し，頭頂を伸ばす。腹筋の力を抜き，腰椎が牽引されていることを感じる。心地よい程度にとどめ，強く牽引しないように注意する。❶に戻る時には，軽く腹部を緊張させて，ゆっくりと動く。

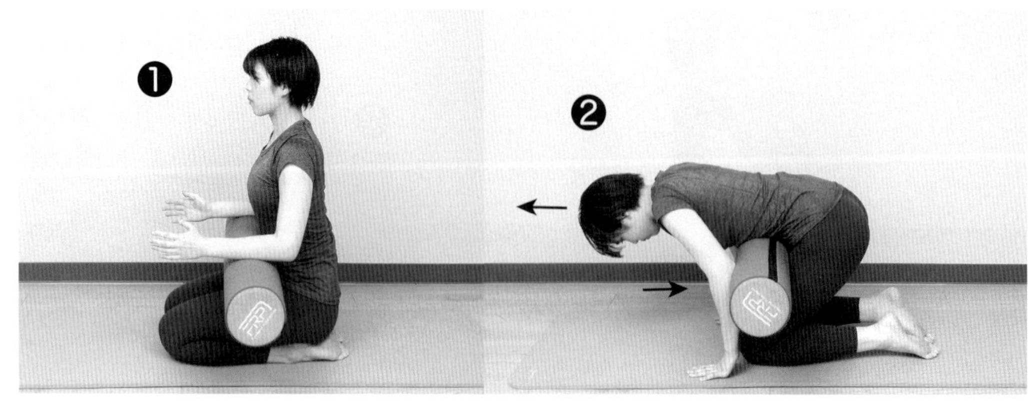

2 セルフマッサージ

痛みが強くならない範囲で筋肉を30秒程度圧迫し，場合によっては軽く動かす。呼吸が止まったり，顔をしかめるような強度は，筋肉の緊張を逆に高めるため，注意が必要である。また，気持ちがいいからといってやりすぎると，翌日以降に筋肉痛が強く出る場合があるので，注意を要する。適度な強度，適度な時間で行うことが重要である。

2.1 大腿四頭筋のマッサージ

❶マットに腹臥位（うつ伏せ）になる。ローラーを片脚の鼡径部（下前腸骨棘付近）にあてる。もう一方の脚は外に開く。
体を上下に動かしながら，筋肉全体を圧迫していく。

❷反対側も同様に行う。

2.2　大腿筋膜張筋のマッサージ

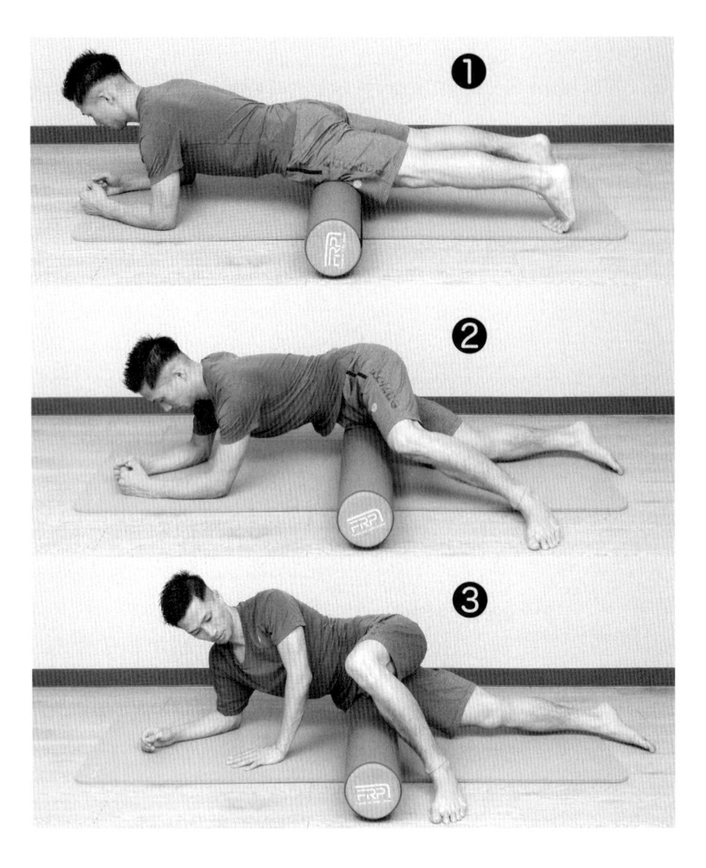

❶マットに腹臥位になる。ローラーを鼡径部付近にあてる。

❷体の片側（写真では左）を持ち上げて，反対側（写真では右）の大腿筋膜張筋（殿部の側面やや前方）にローラーをあてる。

❸上側の脚を前に出して立てる。ローラーを転がしながら頭尾方向（体の上下の方向）に軽く動かして，筋肉を圧迫する。

2.3　中殿筋のマッサージ

❶マットに側臥位になる。ローラーを殿部の側面やや後方（中殿筋）にあてる。上の脚は前に出して立てる。ローラーを転がしながら，頭尾方向に軽く動かす。

❷反対側でも同じように行う。

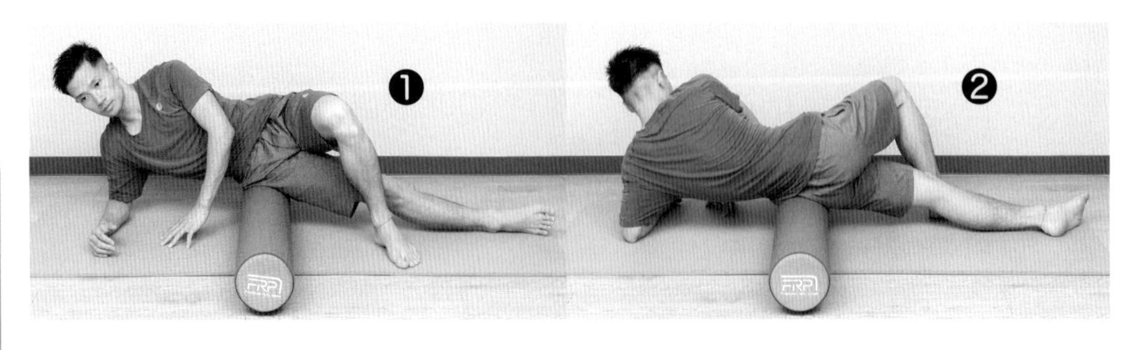

2.4 ハムストリングのマッサージ

❶マットの上にしゃがみ，片脚を前に伸ばして，坐骨の前にローラーをあてる。上体をやや前傾し，殿部を軽く後ろに引くことで，ハムストリングを伸ばす。

❷可能であれば前屈し，さらに筋肉を伸ばす。ローラを軽く前後に動かして，筋肉全体を圧迫する。

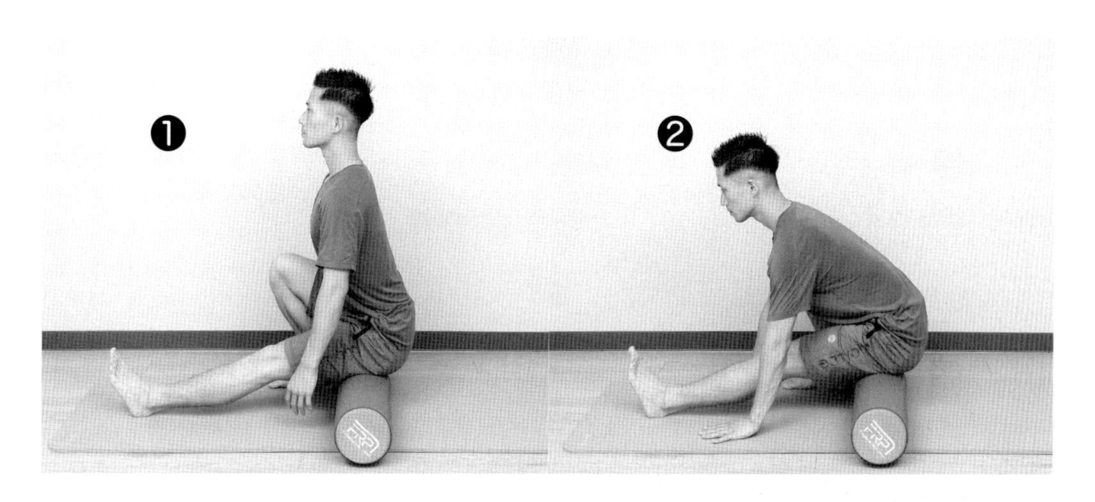

❸❹ 反対側でも同じように行う。

2.5 大円筋，上腕三頭筋のマッサージ

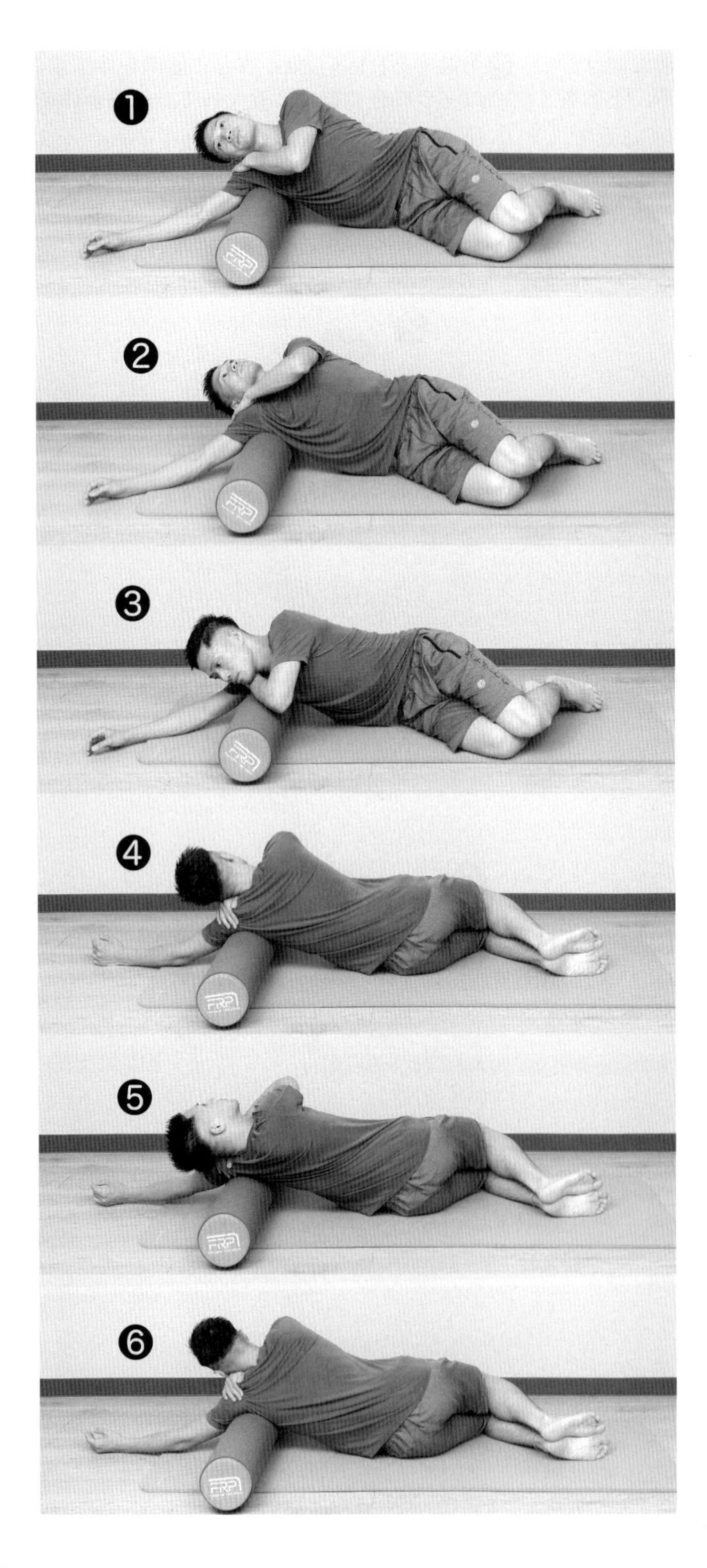

❶マットの上に側臥位になる。ローラーを腋の下に位置させる。筋肉に刺激が入るところを探す。

❷体を軽く後ろに傾けて，肩甲骨の側面から後面をローラーにあてる。

❸体を軽く前に傾けて，脇の下を刺激する。

❹～❻反対側でも同じように行う。

＊脇の下の筋肉はとても小さいため，やりすぎないように特に注意する。痛すぎると逆効果である。

2.6 腹筋群と腹部のマッサージ

ローラーを腹部にあてて，マットに腹臥位になる。脱力し，ローラーが腹部に入ってくるようリラックスする。

＊食後すぐには行わないようにする。

2.7 前脛骨筋のマッサージ

❶ローラーに片側の脛をあて，手で体重を支える。もう一方の脚は後ろへ伸ばす。
ローラを転がし，脛を圧迫する。

❷反対側も同じように行う。

2.8 下腿三頭筋のマッサージ

◆ 2.8.1

❶ローラーを大腿とふくらはぎの間にはさんで*，マットの上に正座する。

❷体重を左へ移動させて，左のふくらはぎを圧迫する。

❸同じように，右のふくらはぎを圧迫する。

*ローラーをはさむ位置を足首付近（左写真）にするとヒラメ筋にあたり，ふくらはぎの中央付近（右写真）にすると腓腹筋にあたる。両方の位置で行うとよい。

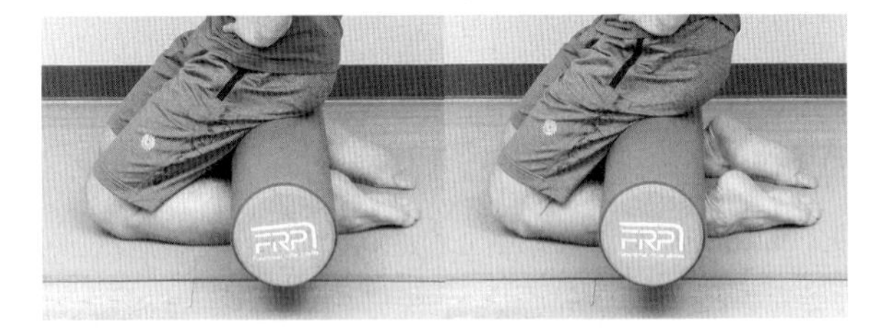

◆ 2.8.2

■ 正中

❶マットの上に長座位になり，ローラーをふくらはぎの下に位置させる。手を後ろにつき，体を支える。

❷ローラーを転がして，ふくらはぎを圧迫する。

■ 外側
膝を外に開いて，腓腹筋の外側頭を中心に圧迫する。

■ 内側
膝を内側に倒して，腓腹筋の内側頭を中心に圧迫する。

■ 内外側
❶両膝を右側に倒して，右脚の腓腹筋の外側頭と左脚の内側頭を圧迫する。

❷左側に倒して，同じように行う。

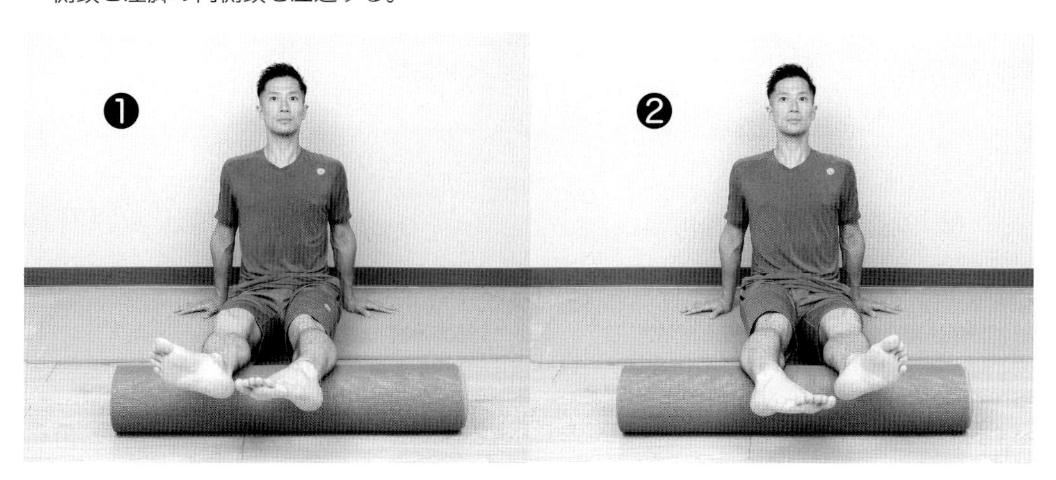

2.9　肩甲挙筋のマッサージ

❶四つ這いになり，ローラーに手を置く。

❷上半身を右へ捻り，左肩を下にして，床に近づける。左肩から首の間をローラーにあてる。

❸右脚を伸ばして，殿部を持ち上げ，ローラーにあたっている肩の部分に体重をかける。
反対側でも同様に行う。

＊血圧が上昇する危険性があるため，血圧が高い人は注意する。
＊頸動脈の狭窄がある人は行ってはならない。

2.10　頸部筋背面のマッサージ

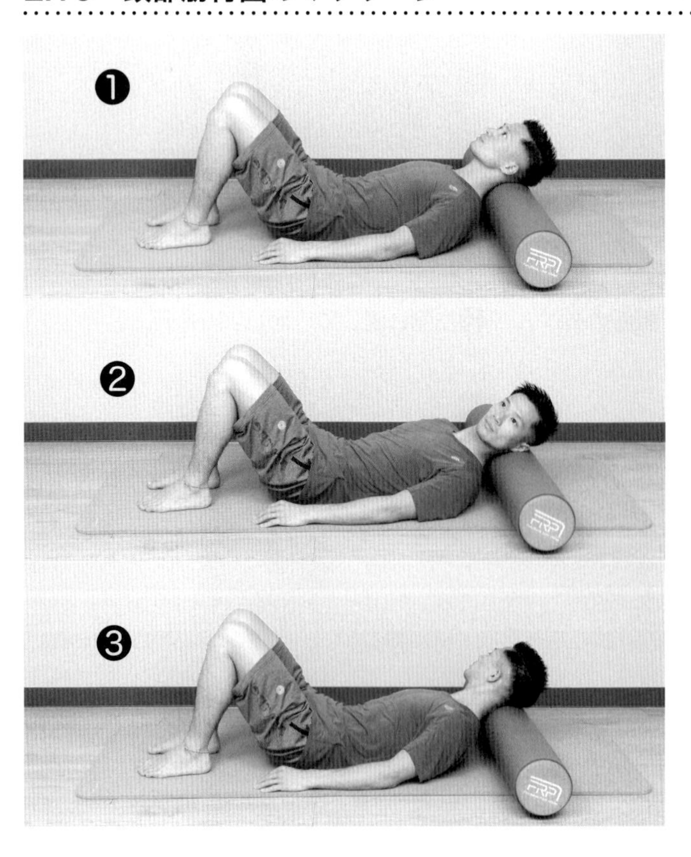

❶マットに背臥位になり，ローラーを枕のように首にあてる。膝は立てておく。

❷左を向き，後頭部と首の左側を圧迫する。

❸右を向き，同じように行う。

3
リラックス

3.1

ローラーを縦に置き，その上に背臥位になる。手足の力を抜き，ローラーに体を委ねる。

3.2

ローラーを横に置き，膝の下があたるように脚を乗せ，背臥位になる。手足の力を抜く。

索　引

●さ行

●た行

●な行

●は行

●ま行

●や行

●著　者

中村　尚人（なかむら　なおと）
株式会社P3代表取締役，一般社団法人日本ヘルスファウンデーション協会代表理事，予防運動アドバイザー，理学療法士，ピラティスインストラクター（Polestar Pilates Rehabilitation Instructor Course），ヨガインストラクター（E-RYT500：Registered Yoga Teacher）（S-VYASA, INTL YTIC：Vivekananda Yoga Anusandhana Samsthana International Yoga Therapy Instructor Course），温泉利用指導者。ファンクショナルローラーピラティス®，エボリューションウォーキング®考案者。
1999年　理学療法士免許取得。学校法人東京慈恵会医科大学附属第三病院，同柏病院，社団法人永生会永生クリニック，老人保健施設マイウェイ四谷勤務を経て，2011年　東京都八王子市にヨガ・ピラティス・フィジカルスタジオ「TAKT EIGHT」設立。ピラティス第1世代　ロリータ・サンミゲルワークショップへ参加。2012年　株式会社P3設立。2014年　一般社団法人日本ヘルスファウンデーション協会設立，現在に至る。
著書に『コメディカルのためのピラティスアプローチ』（2014, ナップ），『症状別ファンクショナルローラーピラティス―アセスメントからフォームローラーを用いたエクササイズまで―』（2017，ナップ），『いちばんよくわかるピラティス・レッスン』（2019, 学研），『子どものためのファンクショナルローラーピラティス―からだ遊び，フォームローラーを使った遊びとエクササイズ―』（2020，ナップ），『効かせるヨガの教科書』（2021，主婦の友社）など，訳書に『ピラーティス・アナトミィ』（2013，ガイアブックス，監訳），『リハビリテーションのためのピラティス―運動器障害からの回復と機能の適正化―』（2019，ナップ，監訳）など，DVDに『DVD ピラティス入門』（2013，BABジャパン，出演・監修），「DVD ピラティスで最高の芯を作る」（2019，BABジャパン，監修）などがある。

●写真モデル

皐月　幹太（さつき　かんた）
ファンクショナルローラーピラティス®マスタートレーナー，理学療法士，NSCA-CPT

井上 沙也加（いのうえ　さやか）
ファンクショナルローラーピラティス®マスタートレーナー，理学療法士

ファンクショナルローラーピラティス
フォームローラーでできる104のエクササイズ【第2版】

2016年 2月24日 第1版 第1刷
2020年 2月22日 同 第3刷
2022年 9月14日 第2版 第1刷
2025年 2月20日 同 第2刷

著 者 中村 尚人 Naoto Nakamura
発行者 腰塚 雄壽
発行所 有限会社ナップ
〒111-0056 東京都台東区小島1-7-13 NKビル
TEL 03-5820-7522／FAX 03-5820-7523
ホームページ http://www.nap-ltd.co.jp/
印 刷 三報社印刷株式会社

ISBN 978-4-905168-72-0

● ファンクショナルローラーピラティスの本 ●

症状別
ファンクショナルローラーピラティス

アセスメントからフォームローラーを用いたエクササイズまで

著：中村尚人

定価：本体 3,000 円＋税 /B5 判 /192 ページ

● ISBN：978-4-905168-50-8　発行年月：2017 年 10 月

肩こり・腰痛といった筋骨格系の症状に対する「ファンクショナルローラーピラティス」のエクササイズを紹介。各症状に対するアセスメントの方法についても解説する。

目　次

子どものための
ファンクショナルローラーピラティス

からだ遊び，フォームローラーを使った遊びとエクササイズ

著：中村尚人，保坂知宏

定価：本体 3,000 円＋税 /B5 判 /184 ページ

● ISBN：978-4-905168-63-8　発行年月：2020 年 3 月

子どもにも適したファンクショナルローラーピラティスのエクササイズと，親子（あるいは大人と子ども）や子どもどうしで行う「からだ遊び」，フォームローラーを使って行う遊びを紹介する。

目　次